U0128330

孫中山思想中的
時變與不變

閔宇經◎著

經世致用

麗文文化事業

■ 國家圖書館出版品預行編目資料

經世致用：孫中山思想中的時變與不變／閔宇經著.
-- 初版· -- 高雄市：麗文文化, 2021.08
面； 公分

ISBN 978-986-490-181-4 (平裝)

1.孫中山思想

005.18 110011568

經世致用：孫中山思想中的時變與不變

初版一刷· 2021 年 8 月

著者	閔宇經
封面設計	薛東榮
發行人	楊曉祺
總編輯	蔡國彬
出版者	麗文文化事業股份有限公司
地址	80252高雄市苓雅區五福一路57號2樓之2
電話	07-2265267
傳眞	07-2233073
網址	http://www.liwen.com.tw
電子信箱	liwen@liwen.com.tw
劃撥帳號	41423894
購書專線	07-2265257轉236
臺北分公司	10045臺北市中正區重慶南路一段57號10樓之12
電話	02-29229075
傳眞	02-29220464
法律顧問	林廷隆律師
電話	02-29658212

行政院新聞局出版事業登記證局版台業字第5692號
ISBN 978-986-490-181-4（平裝）

麗文文化事業

定價：280 元

作者簡介

現職

弘光科技大學通識教育中心副教授

最高學歷

國立臺灣師範大學三研所法學博士
世新大學傳播博士學位學程肄業

研究領域

社會哲學、政治哲學、中山思想

主要經歷

健行科技大學通識教育中心副教授
弘光科技大學通識教育中心主任
弘光科技大學副教授兼任學務長

榮譽獎項

國立編譯館 99 年度人權教育、道德教育與
生命教育出版品編著獎前五名、編著獎佳作
教育部 103 年度全國技專校院通識課程
績優甄選社會類績優科目——社會學概論

僅以此書獻給
天上的父親和母親

目 次

作者序
經綸世間之學·致用夢想之國

「無論那一件事，只要從頭至尾徹底做成功，便是大事。」，孫中山以鋼鐵般的意志，展現了超人的「恆毅力」。

革命建國在當年的確是一件「大事」，而且是足以被「殺頭」的大事。搗毀神像的天生反骨，是誤入歧途的羔羊，還是不知天高地厚的叛逆少年，沉浸在洪楊革命的民族情懷，……孫中山創造了一個被集體催眠下的夢想之國，但你的中國已經不再是你的中國，孫中山也逐漸地在時代中被遺忘。

孫中山的歷史定位，早已蓋棺論定，無須再為其辯護或吹捧；現時的孫中山，只剩下維繫兩岸關係的「工具性」角色。

但在大歷史的場景中，孫中山的特別之處在於：出身南方通商口岸，東西文化薈萃之地，祖籍廣東，能與東南亞華僑交好；遷居夏威夷島，見輪舟之奇，滄海之闊；學醫於香港，能與留洋學生交往；再加上切慕耶穌之道，更容易親近歐美人士。

因此，在同時代的革命志士中，孫中山更具有國際移動能力，能充分運用自身優勢，結合各種策略聯盟和策定國際產學合作，從大眾集資募款以籌設武裝力量進行革命建國運動。

儘管如此，孫中山所能累積的社會資本仍然極其有限，實

1

難撼動滿清政府於萬千分之一，何況面臨各種難以預測的風險，更需要小心進行社會資本的槓桿操作，以智取人，以小博大。

中國全面現代化最需要的是「時間」，儘管半生奔走、一世辛勞，孫中山的生命，最欠缺的也是「時間」。

以上所述的主客觀形勢，直接間接造就了孫中山思想「簡易、變易、不易」的自我選擇。

論者常謂孫中山思想前後言行不一，充滿矛盾。本書旨於探求孫中山在局勢詭辯之下，如何審時度勢，時變與抉擇，以其經綸世間之學，如何致用夢想之國。

面對孫中山、面對歷史，其實也是面對自己，若身處其時其地，我們能有多大的勇氣？又能做出甚麼樣的選擇？如果人生得以重新選擇，孫中山還會選擇他的革命事業，走讀人生？

再次回到弘光科技大學任教，承蒙黃月桂校長和王惠娥副校長的厚愛與提攜，委以學務長重任，在二年半的任期中，能和最優秀的學務主管及同仁們一起共事，齊心守護青年學子，學習甚多亦深感榮幸。卸下行政職後，才能靜心拾起近年發表於研討會的文章，在全書脈絡下增刪改寫，成書超過10萬字。

感謝麗文文化事業的李麗娟經理和編輯團隊的細心安排，當然更要感謝的是，遠隔兩地又心在咫尺的家人，吾妻麗娟和女兒樂樂。

閔宇經 謹誌於沙鹿

第一章

孫中山思想的再詮釋
（緒論）

壹、前言

貳、孫中山走讀（評價）

參、如何再詮釋（方法）

肆、章節導讀

伍、結論（走讀孫中山）

> 本此基礎，觸類引伸，匡補闕遺，
> 更正條理，使成為一完善之書
>
> 孫中山

 **壹、前言**

　　前書《並時弛張：孫中山思想與當代西方思潮》，在方法論上採取「並時弛張」策略，意即把歷時性壓縮在共時性當中，將孫中山學說與當代思潮暫時抽離時間，共置於同一場域，從相互辯證、理解、補充的過程中求得相對較佳的新知識意義。

　　本書《經世致用：孫中山思想中的時變與不變》，除採前法外，亦觀照孫中山思想中「重要觀念的發展系譜」。孫中山40年致力於國民革命，最終都是「在求中國之自由平等」，民國14年北上和談，在2月24日臨終前幾日，汪兆銘【按：汪精衛】欲求隻字片語以為國民黨人遵從時，孫中山說道：「故吾仍以不言為佳，則汝等應付環境，似較為容易也。如吾必定說出，汝等將更難對付險惡之環境矣！」〈預立遺囑〉，可以顯示他臨終之時依然保持審時度勢、變與不變思維。

　　「經世致用」為明清之際逐漸成形的一種思潮，代表人物主要有顧炎武、黃宗羲、王夫之……等人，例如黃宗羲就認為「學貴履踐，經世致用」。該思維主張讀書求學應具體解決社

會問題，孫中山經綸中外典籍，博觀而約取，厚積而薄發，自謂其學問為「革命之學」，他的時中與不變純為經世致用，因此「孫學」亦當為「致用之學」。

「孫學」本就是「經世致用」之學，因此本書以「經世致用」為主題。各章中再次回顧孫中山經綸規撫歐美何種學說、事蹟；或者和西方何種思想學說產生何種新的對話可能；也提出新的研究取徑，從孫中山前後可能自相矛盾的思想脈絡形成與轉變中，探求其「時變」與「不變」的原因。

貳、孫中山走讀（評價）

「經綸世間之學，致用夢想之國」，是孫中山一生的寫照。然若治大國如烹小鮮，則尋常巧夫煮婦熟練日常，在今天的「政治正確」下，實難正確地顯現孫中山在近代史上的特殊地位。再詮釋「孫中山走讀」，他致力革命 40 年且挫折無數、讀書 5,000 餘冊、刻苦自勵遊學世界 31 年，最終仍壯志未酬，但若將其類比「大學治理」時，在現今少子化時代，另以學界人士所面臨的各種身心靈負荷來看，當可「撼／憾／汗然」體會其實非容易。且談以下幾事：

一、國際移動能力

全球移動力（global mobility）係指個體願意參與國際交流，積極從事各種學習和分享活動，培養自己具有開拓心胸和宏觀思維，且能夠融入當地社會和認同多元文化的能力，以提升個人的競爭力；至少包括外語能力、多元文化能力、積極正向能力、宏觀思維能力以及融入不同社會能力（吳清山，2016：119-120）。

孫中山自言：「幼嘗遊學外洋，於泰西之語言、文字、政治、禮俗，與夫天算、輿地之學，格物化學之理，皆略有所窺。〈上李鴻章書〉」「幼讀儒書，十二歲畢經業，十三歲隨母往夏威仁島，始見輪舟之奇，滄海之闊，自是有慕西學之心，窮天地之想。〈自傳〉」並治中國經史之學、習西醫、崇耶穌之道，以上經歷皆有助於孫中山以極佳的外語能力、多元文化能力融入西方社會。這些特殊背景也自然而然促成了孫中山日後在革命過程中扮演對外演講募款、政策倡議的角色。

此外，孫中山的一生當中，有泰半的時間（31年以上，即生命之一半）在異國他鄉度過，先後在14個國家和地區旅行、活動和生活，這些生命經歷都在在佐證他是一位具有高度國際移動能力的知識分子。（參見第四章注釋1，及七章附錄：國父七次訪美檀簡表）

二、籌設武裝力量

孫中山有幾次欲建立革命的軍事武裝力量，分別是 1900
年日本東京的「青山學校」、1910 年美國的「長堤計畫」，
和 1924 年廣州的黃埔軍校[1]。

1.與日人的「青山學校」和「航空學校」

1900 年孫中山請日本陸軍少佐【按：相當於少校】日野
熊藏在東京附近的青山設立革命軍事學校，第一期招收 14
人，因為缺乏思想教育，復以孫中山 1903 年赴檀香山之後，
學生各樹派別，因故解散。這是孫中山第一次在境外籌建軍事
武力的挫敗。1911 年武昌起義爆發後，日本民間成立友鄰會
與善鄰同志會，支持中國的辛亥革命，梅屋庄吉負債捐款成為
積極成員，介紹坂本壽一給孫中山認識，孫囑託他為中華革命
黨建立航空學校，訓練飛行員，1916 年坂本壽一在日本八日
市附近成立中華革命黨航空學校，有飛機兩架，經費由梅屋庄
吉提供（吳建忠，107：13）。

2.與美人的「長堤計畫」[2]

美國人荷馬李（Homer Lea）將軍和退休銀行家布司

---

[1] 1896 年孫中山整頓檀香山興中會會務時，部分會員認為將來有機會回
國參加革命時必須從事實際戰爭，應該先要受軍事訓練，因此設立
「練兵會」，以木棍代槍進行訓練。（項定榮，1982：49）

[2] 本部分詳盡內容可參考項定榮（1982）。《國父七訪美檀考述》。台
北：時報文化，頁 149-181。

（Charles B. Boothe），於 1910 年 3 月 10 日至 14 日之間以「紅龍計畫（Red Dragon–China）」爲藍本，會談商討後改成「長堤計畫」。

長堤計畫的主要內容有四點：(1)中國革命黨暫行終止長江流域及華南地區準備未周的起義，改爲厚蓄實力，充分準備，集中人力財力，發動大規模起義的策略；(2)由中山先生以「中國同盟會總理」的名義，委任布司先生爲「海外財務代辦」，賦予全權，俾向紐約財團洽商貸款，供應大規模革命起義之需要；並由中山先生準備一項中國國內各省革命代表簽署之文件，以爲貸款依據；(3)運送在美訓練的中國軍官若干人，到中國國內充實革命武力；(4)貸款總額共計 350 萬美元，分四次支付。孫中山與國內黃興書函往來討論，黃興及同盟會重要幹部卻有不同的認識與想法 [3]，可能是因爲角色立場不同，看到的事情先後次序不同所致。

可惜「長堤計畫」最後因爲布司（Boothe）籌款無法履約，計畫因而終止，這是孫中山第二次在境外籌建軍事武力的挫敗。

3.廣州的「黃埔軍校」

孫中山在革命的運動中，有感於無眞正的革命軍乃是中國

---

[3] 黃興及同盟會重要幹部主要的想法爲：1.廣東必由省城入手；2.可租廣州灣練兵；3.亟宣聯絡各省新軍及會黨；4.緩聘外籍武員技師；5.網羅各省同志組織總機關。

革命不能成功之重要原因，南京政府旗幟下的軍隊均屬烏合之眾，南方政府時期軍隊又無中心思想，遇事即成反革命之敵人。於是在 1924 年效法蘇俄十月革命紅軍，軍事教育和政治訓練並重，命蔣中正籌辦黃埔陸軍軍官軍校（Linebarger, 1926/2014: 113–114）。

直到第 3 次黃埔軍校籌設成功，孫中山才真正建立了能貫徹革命思想的國民黨黨軍，其後發展與歷史影響於此不再贅述。

三、大眾集資募款

在倒滿革命、臨時政府、鐵路建設、二次革命、南方政府時期，一路走來都是極度缺乏革命資金。孫中山的革命及生活資金來源不外是國內外親友，最多的就是向大眾演講集資募款和發行債券，例如同盟會成立之後，曾發行「中華民務興利公司債券」和「中國革命政府軍債券」；此外，也鼓勵海外華僑以小額定期定額方式捐輸。

所募資金除少許充作生活、旅費及購書之外，悉數不留，生活簡樸、不治家產。例如，「有一次四位旅美華僑來拜見孫中山，從衛士馬湘口中了解到做過中國歷史上第一任大總統的孫中山連住房都沒有，每個月要付房租 65 元時，大為震驚，就拿出一筆錢來購置一所住宅送給了孫中山。（尚明軒、唐寶林，2014：100）」

以今日「眾籌」的概念來看，回饋方式是甚麼呢？「為了革命事業而吸引捐贈和貸款，有著許多甜蜜誘人的辦法，其中之一，就是在共和國建立之後，按照分等定級的辦法，給人們以特殊榮譽和利益的許諾，100 元中國幣者，保證公民資格；1,000 元者，享有經營企事業的優先權⋯⋯。（Wilbur, 1976/2006: 53）」從小額定額捐款，可以看見孫中山募款集資的靈活。

〈美國華僑史〉中有一段敘述：「許多月入不過二十五元的人，一出手便捐十元；甚至有些手頭無錢的，也要借錢捐餉，⋯⋯他們除了熱望革命成功，獲享自由幸福之外，別無其他企圖⋯⋯（轉引自項定榮，1982：252）」孫中山之所以能百折不撓，除了個人堅定的信念和特殊的人格特質之外，也承載著海內外華人千千萬萬個希望。

四、國際產學合作

孫中山的三個夢想：倒滿建國、實業建設、和平統一。遺囑中所謂的「革命尚未成功」，近指召開國民會議、廢除不平等條約，遠指依照其著作（《建國方略》、《建國大綱》、《三民主義》及《第一次全國代表大會宣言》）繼續努力，以求貫徹〈遺囑〉。因此倒滿建國雖初略有成，但民生建設亟待開展，《實業計畫》便是孫中山殷殷企盼的實業建設。

《實業計畫》可以說是中國的大型社會計畫與實驗，以及

是當時最大的歐戰復員計畫，以今日學界的術語而言，也是國際產學合作計畫。成功與否在於龐大資金是否到位，也就是決定於外國銀行團的支持程度。

　　與袁世凱向各國銀行團的善後大借款（未經參議院同意鹽稅、海關稅抵押，並將鹽務交給外人交辦）不同的是，孫中山在利用外資時主張「第一是主權必須操之在我，第二是必須用於生利之事業」，例如在民國 10 年的〈廣西善後方針〉演講中說明「埃及不善利用外資而亡，日本善利用外資而興」並提及「惟只可利用其資本人材，而主權萬不可授之於外人」，惟發展經濟，主權操之在我則國存，操之在人則國亡，這種國際產學立場才有助於中國儘早擺脫經濟次殖民地位。

五、策略聯盟運用

　　在運用策略聯盟方面，以會黨（致公堂）為例。孫中山第五次在美期間有感於不能僅靠教友和留學生力量，萌生運用致公堂（洪門）的想法。「當時美國各地致公堂：1.忘記洪門原來反清宗旨；2.受保皇黨蠱惑；3.狹隘反清思想無法適應新時代需要。（項定榮，1982：96–97）」因此孫中山表示願意親赴全美各埠遊說，將興中會誓詞置入，重訂了致公堂章程，讓原有 15 萬會員重新註冊繳納會費，除可作為致公堂的基金，也為革命經費募款開拓新的活水源頭，然進行半年（從 1904 年 5 月開始）的致公堂總註冊並沒有達到預期目標，孫中山繼

續轉向說服歐洲的留學生。

在對巴黎留學生的接觸中，孫中山說：「諸君加入革命矣，仍應努力求學，即返國後，亦可仍爲清廷官吏。他日革命軍起，諸君以官吏地位，領導民眾，更亦奏效。[4]」從這段的文字敘述，尚不能證明孫中山已然全面估計到革命成功後的建設人才儲備問題[5]。

從歷史的後見之明來看，革命初成後，不僅國庫捉襟見肘，從中央到地方省市（縣），缺少大量訓練有素的國民黨人充任行政官員，基層的地方自治尚未開展，中層的行政專門家尚需培養考銓，中央高層的國民黨人信心不足，此時的孫中山根本無法運轉政府機器，有效掌握所謂的「萬能政府」，也是他撰寫《孫文學說》的原因。

海外華僑（又以廣東遷出者最多）由於在僑居地飽受欺壓，希望有強大的母國保護，因此保皇黨和革命力量亟欲爭取，捐輸方面，美洲華僑和東南亞華僑功不可沒，因而有「華僑爲革命之母」說法。孫中山以其特殊身分與經歷在國外結盟

---

[4] 本段文字，項定榮引自劉光謙所撰〈總理在歐洲最初倡導革命之情形〉，載於《中華民國開國五十年文獻》第一篇第十一冊。

[5] 另外補充說明，孫中山在民國1年的〈同胞要同心協力做建設事業〉的演講中提到：「倘不借用他國人才，我們中國就要先派十萬留學生到各國去留學，至少亦要學十年才能回國，辦理建設各種事業。……凡是我們中國應興事業，我們無資本，即借用外國資本；我們無人才，即用外國人才；我們方法不好，即用外國方法。」

會黨、華僑、留學生……等等，同盟會在國內結盟各種倒滿勢力團體，運用策略聯盟壯大革命力量。

六、重視調研計劃

孫中山極其留心能夠帶領新中國邁向全面現代化的各種事務，茲以航空和海運為例。1903 年美國萊特兄弟成功試飛第一架固定翼飛機；1909 年廣東的馮如（民權主義第六講曾提及）在美國製造飛機試飛成功，但回國試飛時墜地身亡；1914–1918 第一次世界大戰期間飛機已運用到軍事用途上。

1911 年二次革命期間孫中山命令組建湖北軍政府航空隊、廣東軍政府飛機隊、華僑革命飛機團、滬軍都督府航空隊，繼之又先後組建了援閩奧軍飛機隊、中山航空隊（李孔智，2018：10）。1920 年在廣州設立航空局，1921 年在〈致廖仲愷告所著國防計劃目錄函〉63 項中有 9 項關於航空或空軍建設，大致是：遣派青年軍校學生留學；購置航空機和軍用飛艇、汽球；建設各地空港；發展航空建設；航空建機計劃，此時的孫中山已逐步考慮民生與國防合一，從軍用到民用。1923 年由夫人宋慶齡試飛中國第一架自製飛機「樂士文」號（Rosamonde，宋慶齡的英文名）。

在海運方面，孫中山的夫人宋慶齡曾回憶：當時孫中山「訂閱了一種英國出版的《航運年鑑》，知道很多關於船隻的噸位、吃水等這一類事情。有一次他乘巡洋艦視察海寧時，告訴大副，航道水淺，把船靠外行駛。但這位大副自以為他

更熟悉情況，結果船擱了淺。（尚明軒、唐寶林，2014：103-104）」實業計畫中隨處可見的是對河流、港口……等等的距離、水深……等數據資料。

從航空和海運的來看，孫中山不僅眼光前瞻，且用功甚深，從大處著手也注意到枝微細節。

現在的教育工作者，若能同時兼顧上述六項工作其中二、三者，就已實屬不易，更何況孫中山還要著書立說、辦報倡議、興辦實業……等，操勞過度以致盛年即死於肝癌（近年協和醫院的解密文件是膽囊癌和胰腺癌再轉移至肝癌）。

參、如何再詮釋（方法）

白吉爾（Bergere）指出，基於三民主義的非傳統著作特性，因此研究三民主義或許需要另闢蹊徑，例如從孫逸仙運用的觀念著手，並追索它們的發展系譜，或許是比較建設性的想法，許多孫中山的重要主題，自然無所遁形（Bergere, 1994/2010: 407–408）。

孫中山是非典型學者，同樣地，三民主義亦是非典型學術著作。胡漢民曾指出三民主義的連環性特色，最為著名的詮釋是「實行民權主義和民生主義的民族主義；實行民族主義和民生主義的民權主義；實行民族主義和民權主義的民生主義。」白吉爾的洞察之言，循此理路，另闢研究孫中山思想之道。

他的思維大致有三項特點，第一、從「共時性」來看，是「同時（多工）」解決多種問題，例如將民族、政治、經濟革命，畢其功於一役；另如以《實業計畫》同時解決中國與外國的兵戰、商戰、階級戰爭。這種「共時性」已然說明了三民主義之間的連環性特色。

第二、從「歷時性」觀點來看，孫中山的思想（維）或行動，有「變異」的特點。常因時依勢、借力使力而進行「滾動式」修正，例如民族主義對內的主張，先後有倒清排滿、五族共和、中華民族融合……，對列強的借款態度，先是強烈抨擊袁世凱的借款，而自任全國鐵路總督辦時，又主張要向各國借款修築鐵路……，這些前後不一的矛盾，被白吉爾評價為虛張聲勢、買空賣空。但是這些「變異」中實則是審時度勢，有其終極之「不變」與「時變」特性。

第三個特點是「簡易」，善用簡單的譬喻、例證或故事，將高深的學問、複雜的事理，用群眾可以了解的話語傳布於眾[6]；簡易的另一種形式是「化約」，高度淡化和省略不同之處，只求取相同之處，例如他說道「民生主義就是社會主義，又名共產主義，即是大同主義」，這是為了在演講場合即時賦予聽眾一種知覺印象，白吉爾將之所形容為「大雜燴」、「半同化」與「萬花筒」。第三種形式是將毫無頭緒的事情「提綱

---

[6] 對此，白吉爾（1994/2010：410）認為：學者所輕蔑的種種缺陷（過度簡化、雜沓、天真的狂熱激情），卻是它在中國和第三世界成功的原因。

挈領」的提示出來，成爲可按部就班執行的方針或準據，例如
實業計畫、地方自治開始實行法……等均屬之。

　　白吉爾（Bergere）點出了以「重要觀念之發展系譜」作爲
研究孫中山思想的蹊徑，然若如此，我們將發現其思想與行動
雖然前後矛盾不一，但亦有因緣掌故且各自成理。從大歷史的
背景和個人的生命軌跡遭遇相互切換鏡頭與場景，從歷史淡
入，深入其學說、事蹟，觀其變與不變，再從個人情感淡出，
我們正以另一種角度觀看孫中山。

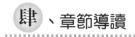

肆、章節導讀

一、章節安排

　　如圖 1-1 所示，除第一章「孫中山思想的再詮釋」和第九
章「歷久彌新的經世致用」分別具有緒論和結論的性質外，本
書從第二章到第八章大致遵循以下模式架構撰寫：每章標題之
下引用孫中山的名言佳句以爲楔子，明示該章所欲討論的主
題；第二章是「研究典範轉移」，借鑒新馬、後馬，讓孫學再
次規撫新學說以爲典範變遷；第三章是「知識分子感召」，從
西方定義說明孫中山是兼集先知先覺、後知後覺、不知不覺三
項特徵的現代知識分子；第四章是「王道世界主義」，闡釋孫
中山民族主義、國族主義、世界主義的形成、轉變與選擇。

孫中山思想與行動中「時變」與「不變」的「時中」選擇			

經世致用	第2章	研究典範轉移	→	前言	→	借鑒新馬後馬讓孫學再次規撫新說以為典範變遷	→	結論
	第3章	知識分子感召				從西方定義說明孫是兼集三項特徵的現代知識分子		
	第4章	王道世界主義				民族主義、國族主義、世界主義的形成、轉變與選擇		
	第5章	生命政治部署				借鑒傅柯的身體與生命政治理論探究孫學的系譜		
	第6章	階級互助問責				從分工互助的孫學裡梳理其平等與階級正義思想		
	第7章	社會實業設計				國家資本主義的發展軌跡及實業計畫的社會設計		
	第8章	SWOT策略				革命建國的思患性的預防策略、破壞性的建設策略		

圖1-1　章節安排

資料來源：作者自繪。

　　第五章是「生命政治部署」，借鑒傅柯的身體與生命政治理論探究孫學的系譜；第六章是「階級互助問責」，從分工互助的孫學裡梳理其平等與階級正義思想；第七章是「社會實業設計」，探討國家資本主義的發展軌跡及實業計畫的社會設計；第八章是「SWOT策略」，關照其現代化的思患性預防策略、破壞性建設策略為何。

二、各章導讀

第一章：孫中山思想的再詮釋（緒論）

> *本此基礎，觸類引伸，匡補闕遺，*
> *更正條理，使成為一完善之書*
> *孫中山*

本章說明「經綸世間之學，致用夢想之國」是孫中山一生的寫照，他的思維具有變易、不易、簡易三項特點。由於他的非典型生命經歷與同期革命志士非常不同，本書的研究取徑將循著「重要觀念發展系譜」的理路，探究其依時度勢之後的時變與不變。

另列舉「國際移動能力、籌設武裝力量、大眾集資募款、國際產學合作、策略聯盟運用、親自調研試驗」六事，從大歷史的場景和個人的生命軌跡相互切換，觀其變與不變，以另一種角度觀看孫中山，最後說明本書撰寫架構及各章導讀。

第二章：孫學研究的典範轉移

> *凡事都是要憑科學的道理才可以解決*
> *孫中山*

西方的馬克思主義學界面對典範危機階段，衍生出西方馬

克思主義、後馬克思主義學派……繼續詮釋批判資本主義世界的發展，這種研究典範轉移的學術歷史，是否能為孫學研究帶來什麼樣的省思與啟示？本章擬再次借鑑於馬克思研究典範的轉折，不僅專為學術考古（知識脈絡上的考掘），也嘗試提出孫學研究新的研究取徑。

「看見與看不見」與「變與不變」兩種方式，是研究孫學可能採取的新途徑。前者是一種「並時弛張」策略，將垂直歷時於不同時間序列、不同時空背景的當代西方思潮學說，水平壓縮並列在同一共時性當中，與孫中山思想缺席碰撞以謀相互完善，本書作者已於前書《並時弛張：孫中山思想與當代西方思潮》使用；後者是一種「經世致用」策略，嘗試於本書《經世致用：孫中山思想中的時變與不變》使用，在「時變」與「不變」的困難抉擇中，再現他的時變。

第三章：現代知識分子的感召

> 有志之士，當立心做大事，
> 不可立心做大官
> 孫中山

西方大抵將知識分子區分為產製觀點與投身行動兩種類型，本章嘗試借用孫中山「先知先覺者／發明家，後知後覺者／宣傳家，不知不覺者／實行家」的說法，以後設研究角度

提出知識分子的光譜模型。

　　知識分子並無新舊之分，總要能以「產製觀點」為第一要務，孫中山著書立說和演講宣傳非為「治學」，而專以「革命」為目的，以學術標準檢視其思想並無「共量」基礎不甚公平；有些知識分子繼而「號召行動」，孫中山在當時以其「軟實力」和「恆毅力」制服群倫，團結人心糾合群力，其現代化思想在逝世後繼續引領著國家發展的建設方向；能夠兼具以上兩點的知識分子已經是寥寥可數，最後，更少數的知識分子能為實踐理想，犧牲奉獻永不退縮。

　　孫中山即具有先知先覺／發明家能「產製觀點」的「創新」特質、後知後覺／宣傳家能「號召行動」的「熱情」特質、不知不覺／實行家「永不妥協」的「犧牲」特質，兼集三項特質於一身的現代化知識分子。

第四章：國族主義的世界主義

> *對於弱小民族要扶持他，*
> *對於世界的列強要抵抗他*
> *孫中山*

　　孫中山認為中國太早進入「天朝」式的世界主義，以致當時面對帝國主義侵略式的世界主義便有亡國滅種之禍，因此他強調要恢復固有民族精神地位，重新喚起民族主義與之對抗，

再發展成獨有的濟弱扶傾式的世界主義。

他一直巧妙地運用民族主義，作爲對內和對外攻擊和防禦的策略工具，他也一直將世界主義當作「槓桿的長短」，把民族主義當作「支點的遠近」，以便獲得最佳的總體資源能量，以進行革命。

孫中山的民族主義，旣是所有主義中最早形成也是前後轉變最大的，他試圖將國內、外的敵人再予以區分爲兩類，拉攏「友好的」勢力共同去對抗「敵對的」勢力。本章說明民族主義到世界主義的進化思維與各階段核心內涵，並指出孫中山心理非常明白，何者是可變的戰術，何者又是不變的戰略，「國族獨立、濟弱扶傾、世界和平」，應當是這些「時變」中之「不變」。

第五章：身體與生命政治部署

> 吾心信其可行，則移山、
> 塡海之難，終有成功之日
>
> 孫中山

民國初成，只有「民國之名，而無民國之實」，因爲人民對民主共和共同體有著異質的想像，以及沒有共同的信仰，孫中山企圖解放封建霸權的身體，希望將千百年來延展於時空場域內，不斷自我維持、世代遞迴複製的各種封建社會裡的教化

霸權徹底轉變，在改變個人身體之餘，也同時打造一個現代化的國族身體；孫中山的身體政治側重在「改造」，他的身體和生命政治涉及兩個核心：國家機器的翻新，人民身體（心理）的改造。

雖然孫中山思想中沒有所謂的「身體或生命政治」的說法，但考掘傅柯（Foucault）的權力系譜、權力部署、和身體與生命政治的理論系譜之後，本章則嘗試將孫中山思想帶入傅柯身體與生命政治的典範中進行思考，經過相互對話、類比傅柯的權力系譜與權力部署，重新檢視孫中山思想，並賦予時代新意。

第六章：階段互助的問責倡議

社會國家者，互助之體也，
道德仁義者，互助之用也

孫中山

正義（justice）涉及對「公平、平等」的判斷操作，因此常與公平（equity）、平等（equality）在概念上相互混淆，進而增添討論上的困難。沒有一種「正義」與「社會」無關，因此正義的命題必須在群體中去判斷才有意義。

在平等的論述上，三民主義的一貫道理就是打不平等以求平等。在民族主義方面是從（國族）集體的視角區分出「侵略

帝國、殖民地、次（半）殖民地」三種等級；民權主義方面是從集體的視角出發，舉「公、侯、伯、子、男」及「聖、賢、才、智、平、庸、愚、劣」來說明不平等、假平等、及真平等；民生主義方面，中國以農立國[7]，經濟上較無貧富之分，階級問題尤以農民為甚，雖然目前僅有大貧、小貧問題，但為防患未然，需注意土地及資本問題。

在區分了階級、階層概念，本章亦與克魯泡特金的《互助論》、涂爾幹的《社會分工論》對話，說明孫中山在闡釋天生不平等之後，強調後天的互助，並訴諸道德的倡議問責。

本章特別增加一個「當孫中山看見全民基本收入制（UBI）」的附論（也可看作未來研究方向或建議）。UBI 所帶來公平分配的經濟保障將人類解放於經濟桎梏，其性質與孫中山所說：要把衣、食、住、行四種需要弄到很便宜，並且要全國人民都能夠享受——兩者是否若合符節或相類呢，於文末初探之。

第七章：國家資本的社會設計

> 只要有路，就可以造鐵路
>
> 孫中山

---

[7] 〈中國國民黨第一次全國代表大會宣言〉中國以農立國，而全國各階級所受痛苦，以農民為尤甚。

　　嚴格上來說，孫中山思想中並沒有所謂「國家資本論（主義）」的具體說法，僅在〈外交上應取的態度〉和《民生主義·第二講》中提到：實業計畫，此書已言製造國家資本之大要。他的政治經濟學思想主要是以《民生主義》的體系呈現，另散見在其他幾篇重要論著或講演當中。

　　孫中山所謂的「國家社會主義」，乍看之下其內涵似乎比較接近「國家資本主義」，但他認為要以政府的力量進行社會與工業之改良、運輸與交通事業收歸公有、直接徵稅、分配之社會化，以此來看又有「國家社會主義」的影子，因此孫中山是高度嫁接了「國家社會主義」與「國家資本主義」，也或者說「民生主義」與「國家社會主義」和「國家資本主義」同義。

　　本章以相關文本劃分出國家資本論（主義）的文本系譜及主要內容，而孫中山所謂的資本，採取最廣義的概念，除意指土地及人力之外，凡能提供生產的物質財貨均屬之。以國家為主體的資本佈署，若從《實業計畫》的內容來看，是以「國家」為生產及分配的主導力量實現國家資本主義，具有如哈維（David Harvey）所說的：壓縮時空速度、改變社會關係、人與自然關係、城市（鄉）發展、技術組織形式、制度行政安排、新的世界關係……等七項特色，《實業計畫》也是國土綜合開發的社會設計。

第八章：三民主義的方略分析

建主義以爲標的，定方略以爲歷程

孫中山

　　孫中山在〈中國革命史〉說道：「余之謀中國革命，其所持主義，有因襲吾國固有之思想者，有規撫歐洲之學說事蹟者，有吾所獨見而創獲者。」從這段話表面來看，整個三民主義是經由「固有思想（內部盤點）」和「歐美事蹟（外部分析）」之後所「獨見的創獲（解方）」，有著非常明顯的SWOT分析的意象。

　　本章以韓佛瑞（Humphrey）所倡之SWOT方法，分別就民族、民權、民生的內文進行定性文本內容分析（content analysis），並梳理出孫中山針對問題所採取的解方以及與SWOT的概念相涉的控制型（ST）、防禦型（WT）、扭轉型（WO）、增長型（SO）爲何？最後回到孫中山自己的術語來說，他的救國建國與中國現代化思維是分兩條路進行（兩大策略）：「思患性的預防」和「破壞性的建設」方略。

　　本章特別增加一個當「地方自治」遇見「參與式預算」的附論（也可看作未來研究方向或建議），兩者精神相類，但孫中山的地方自治，有待公民社會、經濟生活、教育水準、文化生活到達一定程度時，才適合進行今日的參與式預算。不過，參與式預算不失爲成爲地方自治的進階或細部化工程，於文末初探之。

第九章：歷久彌新的經世致用（結論）

> *現在革命尚未成功，凡我同志……繼續努力*
> *孫中山*

　　總結本書各章孫中山思想的「變」與「不變」，並於文末提出 PB（參與式預算，Participatory Budgeting）、UBI（全民基本收入制，Universal Basic Income）、SDGs（聯合國永續發展目標，Sustainable Development Goals）、民國的身體，是未來研究孫中山思想可發展的研究議題。

　　孫中山思想究竟何去何從？如借鑒馬克思主義的發展，可以學術化的樣貌，繼續存在於歷史研究、政治與社會哲學的學術領域當中。面對「孫學」的典範轉移，「並時弛張」與「經世致用」不失為孫學可採用的兩種研究途徑。

　　如果孫中山對於人類世界的終極目標是「永久適存世界，共進大同社會」，則全人類福祉的革命尚未成功，凡我同志（全世界有志之士、先知先覺家）當繼續努力。

伍、結論（走讀孫中山）

　　150 多年之前，孫中山走讀世界，經綸世間之學，為的是致用夢想之國，欲乘時一躍而登中國於富強之域，躋斯民於安

樂之天。

150 多年之後，當我們重新走讀孫中山的著作深處和內心世界時，在歷史的場景下，試著了解和追尋他的足跡與見聞，許多的選擇看起來容易，其實是不容易；許多想當然爾的理解，可能來自偏見和誤解。

革命需要甚麼？革命需要「高深的學問」、軍事的行動、無盡的財源、民心的支持……，孫中山的理想往往需要向現實妥協，雖壯志未酬卻永不放棄理想；先知先覺者縱然見聞天下，後知後覺者仍需戮力實行，正如戴傳賢所填〈國父紀念歌〉歌詞所示：

　　我們國父　首創革命　革命血如花
　　推翻了專制　建設了共和　產生了民主中華
　　民國新成　國事如麻　國父詳加計劃　重新改造中華
　　三民主義　五權憲法　真理細推求
　　一世的辛勞　半生的奔走　為國家犧牲奮鬥
　　國父精神　永垂不朽　如同青天白日　千秋萬世長留
　　民生凋敝　國步艱難　禍患猶未已
　　莫散了團體　休灰了志氣　大家要互相勉勵
　　國父遺言　不要忘記　革命尚未成功　同志仍須努力

第二章

孫學研究的典範轉移[*]

---

[*] 本章原名〈孫學研究的新典範：從「看見與看不見」到「變與不變」〉，初稿曾於 2018.12.20–23「紀念孫中山：民族復興與人類命運共同體」國際學術研討會（上海，復旦大學）宣讀並經評論人評論，今部分內容在全書脈絡下改寫。

凡事都是要憑科學的道理才可以解決

孫中山

壹、前言

　　作為一種政治實驗的指引，馬克思與孫中山的思想，都曾遭遇到執行上的挫敗與瓶頸，以及理論上的（被）修正，也各自以不同的方式被保留到今天。例如，古典馬克思（和恩格斯）的思想，主要在蘇俄和中國遭遇兩次重大的修正，也歷經蘇聯的解體，和中國特色的轉型，目前主要以思想（理論）研究的形式被保留在西方馬克思主義（或後馬克思主義）的研究中。

　　孫中山的思想，也歷經「新三民主義」之爭，在小規模地方自治的實驗上，曾有廣東中山縣、江蘇江寧縣和浙江蘭谿縣的失敗經驗（張朋園，2015：82-91），遲至民國 38 年後的台灣地區，才能以「部分實施」其思想而獲致經濟上的成就。最新的發展是，當台灣逐漸揚棄了三民主義的同時，大陸宣稱在民族主義和民生主義取得空前的成就。

　　馬克思的思想具有無所不包的普世性，瓜塔里（Guattari）指出：「在他之前的哲學家是以人為整體來思索人，但他卻是第一位以世界為整體來掌握世界，他的思想同時是政治的、經濟的、科學的與哲學的。」「他的思想不是傳統

意義下的『跨學科』，而是將所有學科整合為一體……，馬克思的作品絕大部分早已過時，有些說法已不再為人所接受。他的著作並不是一部已完結的全集，而是像所有著名的思想作品一樣，仍處於不斷增益進展的狀態（Hobsbawm, 2011/2014: 19）。

　　瓜塔里（Guattari）和霍布斯邦（Hobsbawm）對馬克思的評價，絕大部分也適用於孫中山思想。他的思想是以考察歐美之進化，人類世界永恆不變的三大問題——民族、民權、民生（〈民報發刊詞〉）——而產生的，本身即涉及高度的政治、經濟、社會、哲學……等學術屬性。

　　馬克思當年從德國到英國，觀察資本主義的弊病，在大英博物館潛心思維，開啟了政治經濟學的研究；而孫中山在倫敦蒙難後，則暫留歐洲，以考察其政治風俗（〈孫文學說・第八章〉），也在大英博物館潛心研究，完成其民生主義的初步主張。百年前，馬克思與孫中山，同樣思索著資本主義的流弊，「各自用不同的方式解釋世界，產生行動」，以某種觀點而言，孫中山當年就是以批判、拒斥馬克思的思想而得以發展其民生主義的主張。百年之後，當古典馬克思主義以西馬、新馬、後馬……的典範繼續活躍於西方的學術殿堂當中，這種研究典範轉移的學術歷史，是否能為孫學研究帶來什麼樣的省思與啟示？因此本章擬再次借鑒於馬克思研究典範的轉折，不僅專為學術考古（知識脈絡上的考掘），也嘗試提出孫學研究的新研究取徑。

貳、規撫歐美學說事蹟

孫中山自陳三民主義的思想淵源之一，係規撫歐美學說事蹟而得。「規撫」意味著仿效、依循，但並不是照單全收，仍須考慮中國固有思想及當時的國情。例如在《實業計畫・緒言》中，他曾向外國指出勿再誤蹈當年盛宣懷鐵路國有的覆轍，必須設法得中國人民之信仰，使其熱心匡助此舉【按：築鐵路】。

他以博覽群書和親自見聞、考察來規撫歐美學說事蹟，可略舉幾事說明。在博覽群書方面，根據段雲章（2009：56）的研究，「孫中山的著作中提到 70 餘個國家的各種思想、學說上百種，光是各種名目的主義就有 30 幾種以上。」「以《孫文學說》為例，列舉的就有分屬英、法、德、美、希臘、日本等國的自然科學家 23 個以上。（2009：63）」《民權初步》也是在眾多書籍中挑選出來[1]。

眾所周知，孫中山的藏書毀於 1922 年陳炯明六一六事變，目前上海孫中山故居藏書屬於孫中山一人所藏者為何？仍

---

[1] 《民權初步・序》西國議學之書，不知其幾千百家也，而其流行常見者，亦不下百數十種，然皆陳陳相因，大同小異。此書所取材者，不過數種，而尤以沙德氏之書為最多，以其顯淺易明，便於初學，而適於吾國人也。

有爭議。但可以確定的是，孫中山自言在手撰三民主義時稱參考西籍數百種，在各種著作裡信手捻來舉出的歷史、事件、人物……等等以為例證，並非是白吉爾口中的「拼貼、大雜燴」，若改以學術觀之，何嘗又不是文獻研究，學術引注。

在親自見聞考察方面，孫中山曾有三段重要的國內外考察（詳見第七章）：分別是上書李鴻章之後、倫敦蒙難之後、卸任臨時大總統之後，此期間所見所聞殊多心得。例如，倫敦蒙難後認真考察英國社會，參觀憲政俱樂部和國會、倫敦東區的貧民窟，英國各地的工人罷工鬥爭，這些都令他印象深刻；他不放棄任何在國外演講的空檔時間，如第五次訪美期間與黃三德至聖路易「百年紀念博覽會」參觀博覽會場及各個鐵工廠。

「規撫」也意味著辯證、駁斥，也須思患預防對策，避免未來禍患。孫中山批評馬克思的階級鬥爭、唯物史觀、剩餘價值說的詳細內容，在此不多贅述，但整個民生主義可以看成是「規撫」資本主義、社會主義、馬克思主義…等當時重要的經濟學說和制度，而得以確立。

當資本主義自身再製生產出新的改良方式而得以續存，作為拒斥存在的馬克思主義也必然會再製生產出新的研究典範而得以續存；同樣地，作為拒斥存在的三民主義也必須再製生產出新的研究典範。例如，面對當代新學說，三民主義要如何再看待（見）、再敘說、再現自己與他者？如龐建國（2012：18）所言：「孫中山思想的時代意義不僅植基於其具有跨時空

生命力的思想性，也賴於後繼者結合時空變化與知識進展的
闡揚[2]。」

、「理論的動態連結」與「典範變遷」

一、動態連結

　　馬克思與孫中山把他們所經驗的世界（社會實體），進行
各種抽象化的定義、陳述或概念描述，進而論述構建爲各種理
論格式，實際上兩人的學說思想涉及從微視「個人思想行動→
互動→團體→組織→社會→世界體系」到鉅視的一系列「後設
理論架構、分析架構、命題架構、模型建構架構」（見圖
2-1）。理論本從社會生活事實抽翻繹而來，具有1.描述與理
解生活事實的功能，並在此層次上修正爲理想的社會模型，
2.並返回去指導或建立社會制度，引領改變社會生活的功
能。

---

[2] 龐建國（2012：18-19）進而說道：有如亞當‧史密斯（Adam Smith）
的學說爲放任資本主義的論述開啓了源頭，至今仍然深深影響著當代
新自由主義（neoliberalism）的經濟思潮；以及馬克思的學說雖然經歷
社會主義陣營瓦解的衝擊，卻仍被左派學者用來針砭放任資本主義或
新自由主義的流弊；同樣地，孫中山思想的時代意義也需要後繼者能
夠「本此基礎，觸類引申，匡補闕遺，更正條理」。

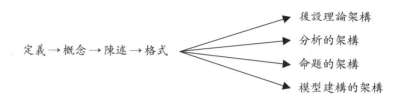

定義 → 概念 → 陳述 → 格式 ⟨ 後設理論架構 / 分析的架構 / 命題的架構 / 模型建構的架構

圖 2-1　社會學中理論的要素

圖片來源：Turner（1986/1992: 8）。

　　社會生活事實（社會實體）與理論（或理念型）之間存有四種動態的連結（見圖 2-2）：1.「概念定義」與「社會實體」的動態連結（DC–I）；2.「概念定義」與「概念定義」的動態連結（DC–II）；3.「概念定義」與整體「理論（或理念型）」的動態連結（DC–III）；4.「理論（或理念型）」與「社會實體」的動態連結（DC–IV）（閔宇經，2001：63）。

　　大致而言，「理論（或理念型）」是靜態／抽象的，「社會實體」是動態／具象的。在不同的時空因素下，「理論（或理念型）」與「社會實體」的動態連結發生斷裂（由強連結→弱連結→斷裂），也就是說理論（或理念型）解釋社會實體的能力下降，在現實的情況下是閱聽讀者與馬克思和孫中山處於不同的社會實體，自然會認為兩人的理論無法適用於當前的環境。

　　實際上也並非是全部而僅有部分的「理論（或理念型）」與「社會實體」發生斷裂或崩解，還是要回到兩人的理論（理

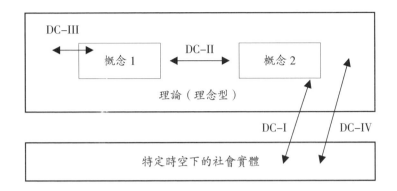

圖 2-2　理論形成過程中四種基本的「動態連結性」

圖片來源：作者自繪。

說明：1.一個理論（理念型）內有無數的概念，每個概念之間各有
　　　　DC–II，每個概念與理論（理念型）各有 DC–III。
　　　2.當 DC–I 的斷裂數量逐漸增多時（由強連結到弱連結），是指
　　　　理論（或理念型）解釋社會實體的能力下降，最終會導致
　　　　DC–IV 的完全斷裂。

念型）內部去做觀察。例如，雖然資本主義在西歐並未發展到
全面產生足夠的階級革命內部能量（資產階級並未從無產階級
中產生「自己的掘墓人」），但是「馬克思對資本主義的看法
從來就沒有因為時代的變遷而過時，他認為資本主義是人類經
濟模式的一個歷史階段，它是會不斷擴張與集中、不斷產生危
機與自我轉變的運作模式（Hobsbawm, 2011/2014: 17）。」此
外，他的「階級」概念並非全然無用，不同的學者，將工人階
級的內涵轉化成新工人階級（納入青年學生），將剝削轉化成
霸權，這是一種改變 DC–I、DC–II、DC–III 造成 DC–IV 更新　　035

的過程，進而賦予 DC-IV 新時代的動態連結，是爲一種典範替代與變遷。

如以孫中山民生思想爲例，當時的中國只有大貧和小貧問題，因此他以思患預防的方法處理土地和資本。時至今日，連資本主義本身都要重新面對全球化、跨國企業、通訊科技的進步所帶來的時空壓縮問題，更遑論台灣所面對的老幼雙極化、青年低薪、產業外移或無法升級、外國投資不足……等問題，不僅需要重新考慮土地和資本，也要同時考慮賦稅與社會安全等等制度（DC-II 與 DC-III 的安定性不足），其本質性問題是孫中山當時所處的中國和今日中華民國治權所能及的台灣地緣空間不同，因此當 DC-I 發生鬆動時勢必影響整體 DC-IV 的解釋能力。

另外，本書也觀察到一個現象，近期的孫中山研究，以研究民族和民權主義的議題居多，民生主義議題極少，似乎顯示著孫中山民生思想的動態連結能力逐漸薄弱，亟需新的替代典範。

二、典範變遷

典範（paradigm）的定義眾多，可以是「團體信念的集合體，代表特定學術社群成員所共享的信仰、價值與技術……等等所構成的整體」（Kuhn, 1970/1994: 234），又可以是「從經驗世界（社會實體）中，所抽繹出來共通的理論架構，作爲

關照世界的方式以及對話的基礎」（閔宇經，2001：26）。

雷瑟（Ritzer）指出了孔恩（Kuhn）在《科學革命的結構中》典範的形成過程（見圖 2-3）：

1. 前典範階段：存在許多不同的理論、途徑以及思想派別，彼此相互競爭，沒有單一理論能凝聚絕大多數論著的共識。

2. 典範階段：一旦累積相當的知識和理論，主流典範及得以建立，不容許社群成員挑戰。

3. 危機階段：一旦主流典範面臨許多異例，無法有效解決科學難題時，典範危機就會形成。

4. 科學革命：對主流典範提出質疑，並構思其他可能的替代典範。

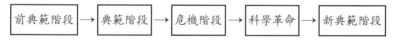

圖 2-3　典範的變遷過程

資料來源：引自 George Ritzer, 1981: 3。

倘若「替代典範」在解釋（力）上比「現存典範」更具解謎功能，則整體科學社群的成員，會逐漸將注意力轉向「替代典範」，並且構思「替代典範」所賴以建立的其他理論（閔宇經，2001：27）。

洪鎌德認為：西方馬克思主義並非一個完整的、一貫的、

內部完全一致的馬克思主義新學說或新思潮或新學派，而是由一批學者不同意或批評蘇共及蘇共所控制的國家之官方馬克思主義，也即「西馬」是反對蘇聯馬列主義、史達林主義等自居馬克思的「正統」，「西馬」強調對馬克思主義原著的新解釋（轉引自姜新立，2010：270）。以本章的概念來看，馬克思主義在其過世後，在蘇聯和中國地區發生動態連結斷裂和崩解的現象，致使古典馬克思主義典範產生極大的「典範危機」，因運而生的「西馬」即是爲古典馬克思主義找尋更佳的「替代典範」。

Tormey（2006/2011：19）等人也說：「我們不把後馬克主義的興起視爲馬克思主義「死亡」或「終結」的象徵。事實上恰好相反，似乎很明顯地，我們自己在某種程度上依然身處於馬克思的「時代」。後馬克思主義所面臨的挑戰與其他自覺是基進思潮所面臨的挑戰是一樣的，也就是必須要對於馬克思針對資本主義的理解，以及能被動員起來反抗資本主義的鬥爭、抗爭和抵抗形式之理解，展示出它所做出的改善、重新解讀和批判。」因此後馬克思主義依然寓居於馬克思主義問題意識的軌跡之內，直接挑戰正統性的思考方式，形式上即使它們否認以馬克思主義作爲重建批判的基礎，拒斥的結果實際上仍然再生了馬克思思想，如同德希達（Derrida）所言：

我們如要如何在保存馬克思精神不滅的同時，又不會掉入對於失落時光的緬懷或臣服於某種被動的立場，

一心一意地等待幽靈歸來。我們必須和馬克思一起活
著、也要脫離馬克思而活——也就是說，我們必須只
和以及為馬克思的精神而活——如同我們將會發現，
這正是十分後馬克思式的態度（Derrida, 1994）。

劉放桐（2016：335）認為：「一旦主流地位的馬克思主
義者能對同時代的西方思潮採取求實的態度，善於批判地吸取
其有益成果，西方馬克思主義就沒有存在的空間了。」實際的
情形是，馬克思死亡的那一天起「古典／傳統的馬克思主義」
以另一種形式新生於世界，在後現代主義去中心化的思潮中，
注定不會有「統一的」馬克思主流理論，任何一種新詮釋、新
批判都已非「古典／傳統的馬克思主義」，在時空轉移下，分
散多元、去中心霸權、非單一主流的西馬、後馬、新馬……內
的各種新生理論已蔚為馬克思新典範特徵。

同樣的情形也適用於孫中山思想，在幾代學者的努力下，
以孫中山自身思想為主體的「典範階段」已呈現理論內部的
穩定與理論整體的飽和現象，但空間的改變加上時間的推移
與正當性與合理性的宣稱，已然無法呼應「危機階段」中對
於孫中山思想的合法性要求，因此需要產生新典範或替代典
範。

肆、從「古典馬克思」到「西方馬克思」

　　歷史學家霍布斯邦（Eric Hobsbawm）在《如何改變世界》中：「要說有哪位思想家在二十世紀留下無法磨滅的印記，那麼此人非馬克思莫屬。……在馬克思去世一百周年後的近二十年來，嚴格來說，他已成為不值得一提的過時人物。……然而時至今日，馬克思可能再次引領風潮，成為二十一世紀人們所關注的思想家。（Hobsbawm, 2011/2014: 10-11）」如果借用《共產主義宣言》書中的第一句話：「一個幽靈——馬克思的幽靈——在歐洲遊蕩[3]」來形容這種現象再也適切不過了。換句話說，馬克思雖然已逝，但是這個曾經影響過世界人口 1/3 以上的思想卻仍然不斷地成長與新生，甚至後現代思潮的理論家很難不面對馬克思，甚至可以這麼說：馬克思主義就如同一面理論的鏡子，拒斥了馬克思，自己理論的主體性就無法確立（理論的鏡中之我）[4]。

　　關於西方馬克思主義出現的原因，劉放桐（2016：322）認為：「出於對第一次世界大戰後德國、奧地利、匈牙利、捷克、波蘭等中、西歐資本主義國家無產階級起義先後遭到失敗

---

[3] 原文為：一個幽靈——共產主義的幽靈——在歐洲遊蕩。

[4] 以馬克思為鏡，從馬克思的思想中辨認出自己理論的存在，像是人格理論中的「鏡中之我理論」，因此稱為「理論的鏡中之我」。

教訓的總結，這種總結促使他們不僅從革命戰略上，也從哲學上對由俄國十月革命模式所體現的被認為是正統的馬克思主義理論的正確性產生了懷疑，於是著手重新研究馬克思主義的革命和哲學理論。」安德森（Perry Anderson, 1976/1990）在《西方馬克思主義之探討》精闢地認為西馬不同於傳統馬克思主義，乃在於它由對政治、經濟的具體分析轉向對哲學的研究，尤其回到馬克思主義以前的哲學中探尋馬克思主義的根源。例如阿圖舍（Althusser）曾說：

> 教條主義的結束使我們面對以下的現實：馬克思通過創立它的歷史理論，奠定了馬克思主義的哲學基礎，但還有大量的工作需要我們去做。正如列寧所說，馬克思主義哲學僅僅奠定了基礎。我們在教條主義的黑夜中所苦於解決不了的種種理論困難並不完全是人為的困難，它們的產生在很大的程度上也是由於馬克思主義哲學還處於不完善狀態。……總之，如果我們要為馬克思主義哲學提供更多的存在理由和理論根據，我們今天的使命和任務就是公開提出這些問題，並努力解解決這些問題。（Althusser, 1996/2016: 11）

盧卡奇、科西、葛蘭西三人被公認為西方馬克思學派的創始者。此外，洪鎌德認為還有法蘭克福學派的批判哲學家、法國沙特、梅勞‧龐蒂、列費伏爾等。姜新立（2010：271）認

為還有「法蘭克福學派、阿圖舍學派、德拉伏爾佩學派；而新馬克思主義除了涵蓋西方馬克思主義的思想外，還包括南斯拉夫的實踐學派、波蘭的沙夫（A. Schaff）、美國的華勒斯坦（I. Wallerstein）、法國的李歐塔（J. Lyotard）和克莉絲多娃（J. Kristeva），以及美國的詹明信等人的思想與理論。」如果再無限上綱與擴大，也包括傅柯（Michel Foucault）（本書於第五章與之對話）、哈維（David Harvey，馬克思主義地理學者）（本書於第七章與之對話）……我們甚至可以說馬克思的幽靈在整個後現代的思潮中遊蕩。

在這些開枝散葉、典範轉移的過程中，我們要把握的是馬克思主義的模因（meme）[5]究竟是以何種方式被轉換鑲嵌到新世紀理論當中。大陸學者徐崇溫在《西方馬克思主義》以盧卡奇、科西、葛蘭西為對象，將「西馬」的理論重點歸納為以下十一項：1.關於「總體性」是重建馬克思主義的核心問題；2.關於意識革命的重要性問題；3.關於日常生活批判是社會變革的中心問題；4.關於工人階級被融入發達資本主義社會和社會主義非無產階級基礎問題；5.關於發達資本主義社會中結構的變化和形成新工人階級問題；6.關於在發達資本主義社會中國家資本主義的性質和作用問題；7.關於剩餘價值的理論問題；8.關於西方資產階級在意識形態和文化上的領導權問題和國家

---

[5] 根據《牛津英語詞典》，meme 被定義為：文化的基本單位，通過非遺傳的方式，特別是模仿而得到傳遞。

理論問題；9.關於在發達資本主義社會爭取實現社會主義的戰略問題；10.關於政黨、階級、領袖和群眾的關係問題；11.關於克服官僚主義的有效措施問題[6]。

傳統(古典／正統)馬克思➡➡➡➡西方／新馬克思➡➡➡➡後馬克思

至於後馬克主義，Tormey（2006/2011: 8–10）認為：1.馬克思的歷史理論；2.馬克斯對革命主體的說法；3.馬克思對倫理的說法；4.馬克思與實證主義；5.前鋒主義與知識分子；6.民主的問題，這六項。在想像上，後馬克思奠基在批判、拒斥傳統馬克思的基礎上而產生的，而西方／新馬克思則是從詮釋和置換傳統馬克思的基礎上而產生的（如上圖）。但這只是程度或感覺的問題，除非我們能把每一個理論像圖2–1一樣，找到可資辨認的具體邊界，進行「定義→概念→陳述→（理論）格式」的切割並逐一比對是否為傳統（古典／正統）馬克思，否則「詮釋－置換－拒斥」都會發生在西馬或後馬的理論中，只是程度上的問題而已。

因此在分類上，馬克思主義新典範所使用的方式大致可歸納為兩種：1.汲取當代西方哲學予以重新理解：例如葛蘭西等

---

[6] 姜新立（2010：272）認為還應包括：1.關於方法論和認識論的問題，2.關於世界觀和歷史觀問題，3.關於馬克思主義基礎和本質問題，4.關於晚期資本主義或後工業社會文化批判問題，5.關於馬克思主義危機與重建問題。

西方馬克思學者，「利用他們各自認可的西方哲學流派中某些體現現代哲學發展趨勢的成分來解釋和理解馬克思主義（劉放桐，2016：334）」這是一種重新增能或賦權的路徑。如同德里達所說：「不需要驅趕，而只需要挑出不合時宜的幽靈，加以清理、批評，讓它避個風頭，再允許它回來」（Derrida, 1993/2016: 88）。 2.以挑戰正統思考發展全新理論：例如德勒茲等後馬克思學者，解構了馬克思的總體理論、經濟決定論、階級與革命理論。

　　以上這兩種路徑當然也是程度上的差別，甚至是同時運用的，甚至還有為數眾多的「隱性馬克思主義者」，例如德希達（Derrida）[7]和傅柯（Foucault）[8]。真正的幽靈反而是資本主義，只要這個世界依然存在階級與剝削，馬克思的幽靈就會選擇以前述兩種典範重新出現；易言之，只要這個世界的弱小民族仍無法自決自立，孫中山的幽靈也會以另一種面貌出現。

---

[7] Derrida（1993/2016: 89）曾說：有一點是可以肯定的，即我並不是一個馬克思主義者。

[8] Foucaul 曾說：我是一個隱性的馬克思主義者（cryptomarxiste）！庫茲韋爾在《結構主義時代》中認為傅柯暗中採用了馬克思的思想。

伍、從「看見與看不見」到「變與不變」

一、看見與看不見

在《並時弛張：孫中山思想與當代西方思潮》書中，筆者曾首度提出「看見」與「看不見」的研究取徑（閔宇經，2016）。並時弛張，是將垂直歷時於不同時間序列、不同時空背景的當代西方思潮學說，水平壓縮並列在同一共時性當中，造成孫中山思想與這些思想缺席碰撞，經由後設的理論對話以謀相互完善。

師法孫中山。

當時孫中山曾用此法以繼承固有思想，並規撫歐美學說精華，例如為人所熟知的達爾文、克魯泡特金、亨利・喬治、馬克思……等人的思想，再加上自己獨到的見解予以詮釋、增殖與改寫，「取法乎上」（思患預防即是一種取法乎上的方法）地鎔鑄成民生主義思想體系，我們處於今日的時空，再一次地使用當時孫中山的方法，與當代西方思潮相互對話與碰撞。

如同前文瓜塔里（Guattari）認為馬克思在世時，其思想即是不斷增益進展的，學者以為馬克思思想是德國古典哲學、

法國社會主義和英國政治經濟學的融合體，馬克思的後繼者持續地將他的「看不見」寫入他的「看見」，孫中山與馬克思類似之處或許即在於此。

運用「並時弛張」途徑，我們要「再現」的是孫中山的「看見」與「看不見」。孫中山在世時，他看見了那些其他人所沒看見的？以及他逝世之後的今天，當代的思潮又看見了那些他所沒看見的？重新對當代思潮予以詮釋理解，重新增能或賦權。

二、時變與不變

《經世致用：孫中山思想中的時變與不變》則要提出另一種研究孫中思想的研究取徑——「時變」與「不變」，去考量理論內涵和社會實體的「動態連結性」問題。

師法馬克思。

容或《1884 年經濟學哲學手稿》（世人亦多稱爲《巴黎手稿》）在馬克思死後被發現整理公佈，引發日後馬克思青年與老年時期的思想是否斷裂，及學術上如何分期的問題，就像阿圖舍（Althusser, 1996/2016: 13）認爲馬克思有「歷史唯物主義－辯證唯物主義」的認識論斷裂，但是我們站在更高的角度俯視馬克思的全部思想，這種斷裂無礙於其成爲曠世之

作[9]。如同姜新立（1999：6）所言：「不論有幾個馬克思，其中有一個思想主軸線相貫穿著，此即人本主義，亦即站在『人是目的』的尺度，對人的本質及人間狀況和人類命運做無限關懷……」青年馬克思到老年馬克思（或者是從人道的到科學的馬克思）有其一貫的核心，那就是堅定站穩批判資本主義的立場，解放人類的異化。

如何改變世界？顯然孫中山更為關切的是，如何改造當時積弱不振幾乎處於亡國滅種的中國，他的思想常有前後不一致，或說法和做法矛盾的現象，這種斷裂常因現實環境局勢而改變，在這些「時變與不變」之間，如何造成國家與人民富強安康才是他的終極關懷。

運用「經世致用」途徑，我們要「再現」的是孫中山在「時變」與「不變」的困難之間，他的「時中」[10] 選擇是什麼？

---

[9] 胡秋原說，馬克思主義的各部分分析開來，理論價值縱不甚高，但合起來，其平均分數實非一般系統個別所易與。如要批判馬克思主義，也必須在哲學、史學、經濟學、社會學等領域有所創見，如果以為馬克思主義可以一種學問或幾句話就可打倒或否定，就是「不用心」。（轉引自姜新立，2010：13）

[10] 出自《易·蒙》：蒙亨，以亨行，時中也。《禮記·中庸》亦云：君子之中庸也，君子而時中。就是孔子講的中庸之道，指的是在天地自然之道的正中運行，既不太過，又無不及。

三、小結

多位學者大抵同意這種看法：大陸的孫中山研究以歷史途徑見長，而台灣學者則以社會科學領域爲擅場。台灣方面，若從既有的官定意識形態出發經解孫學，依舊無法跳脫政治教條的色彩，則「並時弛張」之「看見與看不見」或可創生出研究孫學的新社會科學方法。大陸方面，在既有的民國史料中找尋新歷史定位或許不易，則「經世致用」之「時變與不變」或許可以開啓研究孫學的新歷史方法。

陸、結論：兩種退卻

弔詭的是，活在過去的孫中山，他的思想卻要在百年後才得以實現。黃宇和（2016：230）說：「由於當時中國局勢長期動盪不安，也無法付諸實踐，卻由當今的中國政府逐步推行了。例如，改革開放，改進外資與技術，建設全國的鐵路網，皆孫中山夢寐以求的理想；從華北之開拓渤海經濟區，開發大西北，到華中的建築長江大壩，再到華南的海南島建省等等，無處不見到孫中山及其《實業計畫》的影子。」馬克思似乎也是如此，他的預言領先同時代思想家百年以上，「1990 年代以後浮現的全球化資本主義世界，有許多重要面向都不可思議地被馬克思的《資本論》所言中（Hobsbawm, 2011/2014:

11）。」

馬克思與孫中山的思想，雖然都失去了指導現時政治行動的正當性宣稱，但卻可能可以保留在學術理論上的合理性宣稱，至少西方馬克思主義和後馬克思主義證成了此種存在的可行性。Tormey（2006/2011: 18–19）說：「只要資本主義存在，我們認為就有必要重新解讀這位針對資本主義及其可能之取代者（after）的最偉大理論家。」同樣地，只要人類世界的三大問題永遠沒有解決，孫中山思想就仍然有存在的價值，雖然我們不必然是孫中山遺產的繼承者，但我們的「存在」絕對是孫中山遺產（是否可能被實踐）的見證者[11]，剩下來的只是端看馬克思和孫中山思想要以何種面貌再次呈現於世人眼前。

孫中山思想在當時即以反叛體制、倡議風險而存在的，如同卡謬（Camus）所言：我反叛，因此，我存在。然而，當代研究孫學的知識分子進入學院後，公共性格被學術升等消磨殆盡，失去了批判精神，既失去了 1.以孫中山思想批判當代時政的能力，也失去了 2.批判孫中山思想本身的能力。

「政治上的退卻」已無可避免，但「學術上的（再）退卻」卻可挽回，在歷史的某個時刻，孫中山與馬克思曾經以

---

[11] Derrida（1993/2016: 56–57）：「我們是繼承人，這不意味著我們擁有或是我們接受了這宗遺產或是那宗遺產，…而是意味著我們的存在就是最重要的遺產，我們只能為所是的存在作證。就我們的繼承而言就是作證，為我們的所是作證。」Derrida 的這番話是指，我們的存在見證了馬克思主義的實踐與發展，我們是以這種方式來繼承馬克思的思想。

「缺席對話」的方式對峙，如今穿越時空，再次邂逅與考掘馬克思主義發展成爲西馬與後馬……的學術理路，或可爲孫學研究所借鑒，開啓另一扇窗，避免詮釋的貧困。

Derrida（1994: 167）曾說：「共產主義就如同民主與正義一般，不能被抹滅，因爲這些價值都是人類經驗之『普遍架構』的一部分。」同樣地，作爲解決人類共同經驗——民族、民權、民生問題而存在的孫中山思想，要如何在學術領域上證成其時代性，以取得現時更多的正當性和合理性宣稱，顯然研究孫學的現代知識分子要「更用心」，也就是「更用功」一些。

第三章

現代知識分子的感召*

---

* 本章原名〈永不妥協的孫中山：現代化知識分子的行動感召〉，初稿曾於 2017.10.26–27 第十七屆「海峽兩岸孫中山思想之研究與實踐」學術研討會（杭州：杭州師範大學）宣讀並經評論人評論，今部分內容在全書脈絡下增刪改寫。

有志之士，當立心做大事，不可立心做大官

孫中山

、前言

格里德（J. B. Grieder）（1981/2010：2）認為：「知識分子是一個寬泛而難以分析界定的概念，它既不是一個社會的或經濟的階級，也不是那些嚴格意義上以學術為業的人，而是一系列有思想、能作出反應和表達的人。」這是對知識分子最通俗的定義，意即知識分子只負責產製觀點，默默影響社會大眾。

如同索爾（Thomas Sowell）（2009/2014：16）在《知識分子與社會》中釋明「知識分子只負責產製觀點，並且加以宣揚，而不是去落實他們所提出觀點」。對 Sowell 而言，公共知識分子只是踏出專業領域的枷鎖，以其特殊的發言地位，啟迪政客引導群眾，向普羅大眾宣揚理念。

另外一種知識分子，猶如韋伯（Max Weber）在〈政治作為一種志業〉演講稿結論說道：「一個人，當他從自己的立場看這個世界，發現這個他要奉獻的世界一切表現的是多麼愚笨和俗不可耐時，並不萬念俱灰，依然正視這一切，說一聲：『儘管如此，我還是要做！』，誰能肯定做到這些，那才是以政治為業。」這種知識分子，將眾人之事作為畢生投身之志業，「自反而縮，雖千萬人，吾往矣」。

孫中山思想中的時變與不變

分類	先知先覺	後知後覺	不知不覺
任務	發明家（能想）	宣傳家（能說）	實行家（能做）
類型	產製觀點 ◀- - - - - - - - - - - - - - - ▶ 投身行動		
特質	創新	熱情	犧牲

　　從以上論述，西方大抵將知識分子區分為兩種類型：產製觀點與投身行動。不過這不是嚴謹的分類學上的區別，而是類似光譜的概念，如果以孫中山的論述來看，「先知先覺者為發明家，後知後覺者為宣傳家，不知不覺者為實行家」《民權主義・第三講》，很顯然地，孫中山不只是高談闊論的「四大寇」，也不只是滿嘴胡說八道的「孫大砲」而已，他不但負責產製觀點，更以實際的行動感召當時的知識分子和普羅大眾投身革命行動，儘管格里德（J. B. Grieder）（1981/2010: 175）認為「孫是一個有政治志向的精明領導者，但不是一個理論家。」並援引史扶鄰（Schiffrin）的觀點「這種領導者不提供獨創性思想，而只提供能使每個人達到期望目標的手段。」但他也承認孫中山並非毫無思想[1]。

---

[1] Grieder（1981/2010: 175）：誠然，孫並非毫無思想。早在 1905 年他就提出了「三民主義」，在那時就成了進步思想的基本原則：民族主義、民主主義、民生主義。孫的部分天才在於他能以有說服力的信心提出這種樂觀主義的一般原則。

本章以知識分子的光譜類型出發，詮釋孫中山是同時兼集三項特質：具有先知先覺／發明家能「產製觀點」的「創新」特質、後知後覺／宣傳家能「號召行動」的「熱情」特質、不知不覺／實行家「永不妥協」的「犧牲」特質的現代化知識分子。

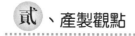

貳、產製觀點

一、新舊之分

對於中國辛亥革命前後時期的「知識分子」，余英時（1991）認為：從「士」變為知識分子自然有一個過程，不能清楚地劃一條界線。不過如果我們要找一個象徵的年份，1905年（光緒三十一年）科舉制度的廢止也許是十分合適的。科舉既廢，新式學校和東西洋遊學成為教育的主流，所造就的便是現代知識分子了。沈渭濱（2016：131）認為「近代知識分子，是指經由國內新式教育和國外留學培養，或經由西方文化薰陶，與傳統意義上的士大夫不相同的一部分文化人；作為一個社會群體，是以他們依附中國資產階級並形成一個社會階層為指歸的。」沈渭濱並不贊同張玉法將林則徐、魏源、徐繼畬等人歸類為新知識分子。張玉法（1982：41）則認為「所謂新知識分子，是指在學識與見識上能超越傳統的知識分子，一部

分是新式教育和國外留學培養出來的，另一部分則係在工作或居住環境中，因有與西方事物接觸之便，受西方文化薰陶而成的。」

因而張玉法認為最早一批的新知識分子，當推林則徐、魏源、徐繼畬等人，因為他們的新知識來自與外人的接觸，外人在中國所辦的報紙對他們也有幫助。他們崛起於鴉片戰爭前後，對西方的認識，集中在船堅砲利方面。仔細推敲沈氏與張氏對於新知識分子的定義並無二致，兩人認定上的斷裂，純係自由心證。

薩伊德（E. W. Said）（1994/2004：41）在《知識分子論》中提到 20 世紀對於知識分子最有名的兩個對立論述是葛蘭西（Gramsci）和班達（Benda）。

葛蘭西（Gramsci）區分了「有機的知識分子」和「傳統的知識分子」，前者是伴隨著新階級在經濟生產中創造發展自身的同時所形成的，能夠意識到並能執行政治、經濟、社會領域的職能；後者是生產方式被現代資本主義取代之前就已經形成了，他們與落後時代的思想相聯繫，保守且反對進步的社會集團思想，與現存統治階級的世界觀有一定的距離。葛蘭西在《獄中札記》擴大了知識分子的定義，不再以一般人概念中將高質量、高密度的學術工作者視為知識分子，而認為「每個人都有可能是知識分子」。

沈渭濱的說法非常類似葛蘭西（Gramsci），以為儒生、士大夫為舊社會服務，是「傳統的知識分子」；但是葛蘭西

（Gramsci）本身忘記了一點，循著他自己的邏輯，「有機的」知識分子，也是新文化霸權階層。因此林、魏、徐三人不論新舊，均屬能「產製觀點」的知識分子，其所傳布的觀點在於「現代化」。所不同的是，中國近現代的知識分子所傳布的內容，先是「器械」，進而「（政治）制度」，最後是「文化」。

薩伊德（Said）（1994/2004：48）自己對知識分子的定義是「具有能力『向』公衆以及『爲』公衆來代表、具現、表明訊息、觀點、態度、哲學或意見的個人。……，在扮演這個角色時必須意識到其處境就是公開提出令人尷尬的問題，對抗（而不是產生）正統與教條，不能輕易被政府或集團收編，其存在的理由就是代表所有那些慣常被遺忘或棄之不顧的人們和議題。」

以此論據，應當不會有人反對孫中山是推展現代化的知識分子，在清廷的眼中，他是一個「危險的」知識分子，在西方學者眼中，他甚至是一個「邊緣的、流亡的」知識分子。然而孫中山絕對不是學院型的知識分子，爲求仕途被收編在清朝的官宦系統中，或是像當代蝸居在象牙塔內的知識分子，爲升等而鮮少爲社會發聲引領社會進步。

二、學術之爭

白吉爾（Marie-Claire Bergere）大概是批判孫中山此中之

057

最者[2]，陳建華認為白吉爾的「觀點不免灼見與偏見」（轉引自黃宇和，2016：711）。西方史學的「傲慢」與白吉爾的「偏見」，「史扶鄰先生對孫中山的前半生研究和韋慕廷（C. Martin Wilbur）先生對孫中山後半生的研究（黃宇和，2016：716）」共同成就了白吉爾的正反評價兩極的《孫逸仙傳》。

依照白吉爾（Bergere）（1994/2010：15-17）的觀點：孫逸仙最原創性的概念，源自西方人眼中的第二流思想家，如亨利‧喬治（Henry George）摩里斯‧威廉（Maurice William）……；孫逸仙不是一個偉大的理論家，他的三民主義學說不像馬克思主義，或中國改革派康有為、梁啟超偉大的政治創作，既無原創性又缺乏知識上的嚴謹度。

對此，張緒心和高理寧（1991/1999：227）在他們所撰寫的《孫中山未完成的革命》書中則認為：中山先生並不是寫一本學術性的、哲學性的論著，以供學術界討論；相反地，他寫的是一本具有進步概念的政論，能被低教育水平的人所了解，以激起全中國人想像力、熱情和響應，支持他的革命目標。三民主義首先設計本來就是一種行動的召喚，而不是充當研究論述。

孫中山曾經當著鄒魯（協助讀校三民主義演講稿）之面，刪除一段民權主義記錄稿文字，並說：三民主義的學理雖然非

---

[2] 黃宇和（2016：711）：英國學者安德遜（Patrick Anderson）君在網路上做過普查，發覺白吉爾教授的《孫逸仙傳》，在全世界各大學圖書館有關孫中山的藏書當中，數量是最多的，而且都是用作大學生的教科書。

常深奧，卻要使凡是識字的人個個都能看得懂，這樣，我的主義才能普及民眾，然後才能望其實現。假使連你都看不明白，那看不懂的人就不知有多少，所以把這段全部刪去。

固然「革命的基礎在於高深的學問」，孫中山的特別之處即是能將西方深奧的學術理論或觀點，運用自己的巧思，結合東方固有文化，轉換為庶民百姓能懂之語言，可以算是「發明家和宣傳家」型的知識分子。

邵元沖是孫中山晚年的秘書，曾當面問過他：先生平日治學非常廣博，於政治、經濟、社會、工業、法律各種書籍，皆篤嗜無倦，可究竟以什麼為專攻？他回答說：我無所謂專攻。邵元沖問：那麼，先生所治究竟是何種學問呢？孫中山回答：我所治者乃革命之學問。一切學術凡有助於提高我革命的知識及能力的，我都用來作為研究的原料，以組成我的革命學（盧立菊，2013）。

日人武上真理子（2016：18-24）對《上海孫中山故居藏書目錄》的研究，藏書總計 1932 種 5230 冊，涉及六種語言，以政治類較多，屬於社會科學的經濟和社會合計占半數以上，反映了孫中山曾潛心思考心中國的建設問題。[3] 孫中山的藏書大部分毀於陳炯明事件中，因此上海故居藏書是窺見孫中山革

---

[3] 另據盧立菊（2013）的說法：《上海孫中山故居藏書目錄》分類，百科全書、年鑑28種，政治，包括法律軍事共484種，經濟方面，包括鐵路共274種，社會學書籍203種，哲學，包括心理學、宗教學54種，科技方面，包括醫學、體育109種，天文地理，包括地圖55種，歷史類的書籍116種，文學類的包括傳記170種，期刊有62種。從上述分類來看，數量排在前四位的是政治、經濟、社會、歷史。

命之學概況的重要參考資料。以其一生所讀書籍之數量（上海故居就有五千餘冊）與廣度而言，就算是現代學院型的知識分子，全職專注於讀書研究，也很難與之項背。

三、小結

白吉爾（Bergere）（1994/2010：369-370）：「三民主義可稱是一部折衷主義的作品或是混成的大雜燴之作，……中國文化的驕傲，摻雜著列寧式的反帝國主義；孟德斯鳩的《法意》與林肯的格言摩肩並立；亨利‧喬治的社會主義，與馬克思主義、中國烏托邦思想攜手並行。」正如同葛蘭西（Gramsci）的《獄中札記》和班達（Benda）的《知識分子的背叛》都在自己所身處的歷史社會文化脈絡中寫成。孫中山最重要的思想體系三民主義，雖然僅能用演講紀錄的方式呈現於世人[4]，他著書立說、演講宣傳非爲「治學」，而專以「革命」爲目的，有著自己特殊的時空／歷史視域，進而啓發好幾代的中國人[5]，若純粹以學術標準檢視其思想，不僅不具共量性，亦無公平性。

---

[4] 孫中山對他的秘書黃昌谷說：我要把三民主義宣傳到全國國民，但沒有時間寫出來，想用演講的方式表述出來，你可不可以替我筆記下來？（盧立菊，2013）

[5] Bergere（1994/2010: 370）：它仍然是一部原理性的著作，具體化點燃二十世紀頭二十五年辯論火花的問題、抱負和理想。正是透過這部日後成爲典範的著作，好幾代的中國人才能掌握他們國家的近代政治思潮。

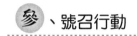、號召行動

一、制服群倫

坊間一直斤斤計較孫中山在 11 次革命中，自己親身參與過的次數屈指可數。但其實孫中山一直以自己的方式投身革命志業。「受益於他的演說家天賦和個人聲望，他使家族和鄉親相互團結為其服務，並得助於祕密會黨、基督教傳教士、海外華商和革命學生。他一人兼任多職：醫生、改革主義者、造反者、商人、外交家、現代化先行者、軍事領袖、理論家和國家元首。他毫不費力地衝破了階級隔閡以及文化和地理的限制，……能夠和所有的對手談判協商。白吉爾（Bergere）（1994/2010：6）」論同盟會、國民黨黨內的實力，他比不過宋教仁，論軍事才能他也比不過黃興，但是孫中山的「軟實力」和「恆毅力」使得他成為眾多革命團體／勢力可以共同接受的領導者。

從一八九五年第一次革命開始，遲至一九〇五年同盟會成立，孫中山始與知識分子建立起較為緊密的關係。一八九五年到一九〇五年，從興中會到同盟會，從會黨與華僑的傳統組織到知識分子的革命組織，孫中山從政治的外圍進入了政治的主流（邵宗海、白中琮，2006）。

孫中山思想中的時變與不變

　　孫中山在歐洲與留學生辯論激戰三日，在日本橫濱演講[6]，民國史學家大抵同意，從這個時候開始，由於知識分子的加入，使得革命運動展現了與已往不同的局勢。如果不是出於真摯的情感、廣博的知識與宏偉的遠見，只靠滔滔雄辯是不足以制服群倫的。

二、啓迪後世

　　雖然孫中山已辭世 90 餘年，當時的現代化建設藍圖依然指引著後世的國家發展戰略思想。孫永福（全國政協常委、鐵道部原副部長、中國工程院院士）說（2011）：「在中國鐵路的發展方面，孫中山先生是偉大的戰略家和創導者。他關於鐵路的精闢論述、他主持編制的鐵路發展宏圖、他倡導的開放築路方針，對中國鐵路事業產生了深遠影響。」2016 年中國大陸在「紀念孫中山先生誕辰 150 周年大會」上，習近平說道：「孫中山先生當年描繪的這個藍圖早已實現，中國人民創造的許多成就，遠遠超出孫中山先生的設想（聯合報，

6　《孫文學說・有志竟成》：乙巳春間予重至歐洲，則其地之留學生已多數贊成革命，蓋彼輩皆新從內地或日本來歐，近一二年，已深受革命思潮之陶冶，已漸由言論而達至實行矣。予於是乃揭櫫吾生平所懷抱之三民主義、五權憲法以號召之，而組織革命團體焉。於是開第一會於比京，加盟者三十餘人。開第二會於柏林，加盟者二十餘人。開第三會於巴黎，加盟者亦十餘人。開第四會於東京，加盟者數百人，中國十七省之人皆與焉……。

2016）。」[7]龐建國（2017：9–11）認為：「大陸的改革開放是
實業計畫的 2.0 版，一帶一路是實業計畫的 3.0 版，從〈實業
計畫〉到『改革開放』的『引進來』，再到『一帶一路』的
『強根本』和『走出去』，正可邁向孫中山先生當年在〈實業
計畫〉序言中所期盼的『馳騁於今日世界經濟之場，以化彼族
競爭之性，而達我大同之治也』境界。」除了「建國方略」的
藍圖外，期能繼續推進民權主義的規畫宏模，為民所有、為民
所治、為民所享。

　　當代孫學研究者，其困境是受限於歷史框架中，以至於讓
孫中山思想失去了開放性，創新詮釋的匱乏致使孫學無法向當
代思潮相互詮釋與對話，停留在思想史的學術研究範疇，再者
如同雅各比（Jacoby）《最後的知識分子》所言：

> 年輕一輩的知識分子不再需要或想要一群廣大的公
> 眾；他們幾乎全都是大學教授，而校園是他們的居
> 所；同僚是他們的讀者；專題論文與專業刊物是他們
> 的媒體。他們不像過去的知識分子，反倒置身於各個
> 領域與學科之中，……他們的工作、晉陞與薪資，在

---

7 構想了中國建設的宏偉藍圖，其中提出要修建約 16 萬公里的鐵路，
把中國沿海、內地、邊疆連接起來；要修建 160 萬公里的公路，形成
遍佈全國的公路網，並進入青藏高原；開鑿和整修全國水道和運河，
建設三峽大壩，發展內河交通和水利、電力事業；在中國北部、中
部、南部沿海各修建一個世界水準的大海港；大力發展農業、製造
業、礦業等等。（聯合報，2016）

> 在依賴學者專家的評估，如此的依賴關係，自然會影
> 響到他們所提出的議題與所用的語言。（Jacoby,
> 1987/2009: 30–31）

反觀台灣，經由轉型正義的政治操作之後，孫中山思想不再為群眾所需要，孫學也失去了從「人民的生活、社會的生存、國民的生計：群眾的生命」中再製生產的理論原動力，無法再成為國家發展的指導方針，也因為現代的學院式知識分子被收編於審查制度中，失去了批判、對抗精神，停留在社會科學的學術研究範疇。

三、小結

同盟會成立時，組織中絕大部分都是熱血澎湃的青年，三十九歲的孫中山被推選為領袖。然而，他其實並非傳統中理想的領袖，他所具有的不是儒家強調的德行或知識，但是他具備了行動的能力——具體提出達到目的所需的手段、策略、步驟。華興會的領袖黃興和宋教仁對孫中山統一革命組織的號召，給予了決定性的支持，經由同盟會，孫中山第一次領導著知識分子進行有組織的政治運動（邵宗海、白中琫，2006）。眾人在革命運動中所欠缺，而孫中山所具備的，正是最重要的「軟實力」和「恆毅力」。

孫中山始終在重要時刻洞燭先機進行各項倡議；對外的〈中國問題的真解決〉、〈實業計畫〉、〈大亞洲主義〉如

是，對內的討袁、護法、二次革命…等亦如是，雖然他的思想方針如今被兩岸各自選擇性的運用，但是他對人類三大問題的掌握，經過時間的證明，迄今仍有獨到之處。

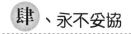、永不妥協

一、貫徹始終

韋慕庭（Wilbur）（1976/2006：355-357）：「在他實現愛國目標的努力過程中，他的事業的絕大部分，都是以受挫沮喪為標誌的。……不過，對一個人來說，能夠面對如此頻繁的挫折沮喪而堅忍不拔，百折不撓，只能設想為：他是被一種持久不衰的信心所支撐著的！」，另如 Grieder 所言：

> 孫中山具有某種性格和個性品質，……，他表現出一種頑強不屈的風度——這使他成為由許多人發起的政治變革的令人信服的發言人。他是一個真誠熱情，具有說服力和感染力，毫不動搖地忠誠於信仰的人，即使在他領導的革命運動受挫時也是如此（Grieder, 1981/2010：134）。

劉仲敬（2016：149）點評孫中山性格的特徵是毅力超強

但理解力不足，他列舉了宋教仁被刺案、二次革命、另組中華革命黨等史事爲例說明孫中山「當事人不了解同儕了解的東西，而且沒有辦法或是根本不想理解」。但或許也就是這種堅持，讓孫中山的胞兄孫眉（德彰）散盡家財支助革命，讓知識分子願意獻身革命；也就是這種性格上的缺點，鼓舞啓發了無數的黎民百姓[8]，孫中山成就了平常人無法成就的志業。

細數孫中山的革命志業，多半時間都在挫敗中度過，他大概是個無可救藥的「理想主義的革命潔癖」者，暫時妥協於現狀的目的是如果不達到心目中那個理想的烏托邦，是絕不輕言罷休的。在《中國革命史》中，孫中山自陳爲何繼續要推動討袁護法，或許不是「理解力不足」，而是追求大是大非。

二、犧牲奉獻

班達（Benda）對於知識分子的定義是「一小群才智出衆、道德高超的哲學家——國王，他們構成人類的良心（Said, 1994/2004: 42）。」他認爲眞正的知識分子「他們的活動本質上不是追求實用的目的，而是在藝術、科學或形而上的思索中尋求樂趣，簡言之，他們爲追求非世俗的財富而感到喜悅。」而眞正的知識分子以「人民的生活、社會的生存、國民的生

---

[8] 在〈我的回憶〉中，孫中山曾經口述一個故事：「某次集會以後，一個在費城開洗衣店的華僑到旅館來找我，塞給我一個麻布袋，未留一言而去，袋中是他二十年來的全部積蓄。」

計：群眾的生命」爲念，「有志之士，當立心做大事，不可立心做大官」《〈新疆遊記〉序》。

所謂的大事，係指「幫助國家變成富強」，「只要從頭至尾徹底做成功，便是大事」《學生要立志做大事不可做大官》。孫中山本人的一生言行充分印證了做大事的犧牲奉獻精神，盡瘁國事且不置恆產[9]，僅留革命精神供後人憑弔。史扶鄰（Schiffrin）（1968/1988：1）也說：「他和同時代的大多數政治家不同，他沒有利用政治來爲個人掙得一筆財產。他曾爲遠大的目標——一個現代的、強大的、獨立的、民主的、平等的、均富的中國而奔走呼喊。」

在孫中山逝世之初，就有報刊將孫與美國國父華盛頓相比擬，最早在報刊上稱孫中山爲「國父」，是盧紹稷在孫中山逝世當日所撰寫的〈東西兩國父〉一文，文中說：「孫先生爲三民主義而鬥。四十年如一日，幾死者十餘次，其精神毅力、功績，較之華（盛頓）氏有過之而無不及，理所當然應爲國父」。3 月 31 日在《國民日報》要聞與《民國日報》社論中皆已尊稱「國父」（中時電子報，2016）。當時北京中央公園社稷壇舉行公祭時，豫軍總司令樊鍾秀特致送巨型素花橫額（闊丈餘，高四、五尺），當中大書「國父」二字，他的唁電輓幛，均稱「國父」，這是中山先生在公開場合被尊稱爲「國

---

[9] 「余因盡瘁國事，不治家產，其所遺之書籍、衣物、住宅等，一切均付吾妻宋慶齡，以爲紀念。余之兒女已長成，能自立，望各自愛，以繼余志。此囑。」〈遺囑（貳）〉

父」之始[10]。

　　孫中山的永不妥協、貫徹始終、熱情奉獻的精神感召，他在政治上不斷的挫敗反而更受到社會各界由衷的尊敬與緬懷，推舉孫中山為國父的初發心非為「造神」，而源於中國民間社會對於英雄豪傑衛社稷、護黎民的特殊文化情感。

三、小結

　　150 多年過去了，我們迄今還是嘗試著去理解孫中山內心世界，走讀孫中山，即使是顛沛流離、被軟禁、追殺[11]，甚至是某種形式的家破人亡、散盡錢財，他也始終不改初衷。這是出於宗教家悲天憫人的救贖？是基於人道主義者的情懷？還是政治投機者的利益盤算？

　　也因為不理解，150 多年後的今天，台灣社會將孫中山拉下萬神殿，質疑國父尊稱的政治訴求漸起；孫中山大概不會在意這些事情吧，他念茲在茲的是革命尚未成功，可能他反而比較感慨的是思想主張被部分挪用選擇在兩岸的發展競賽中，而欣慰的是，150 多年後的台灣社會，因為政治穩定、民生富足，才能有餘力進行這類的政治訴求。

---

[10] 孫中山學術研究資訊網，國父的由來，http://sun.yatsen.gov.tw/content.php?cid=S01_02_01，搜尋日期 2017.10.12。

[11] 在正式文件中，孫中山很少談論被清廷追殺的此類事情，但在〈我的回憶〉中可窺見一二。

伍、結論

西方史學家如史扶鄰（Schiffrin）、韋慕庭（Wilbur）、白吉爾（Bergere）等人撰寫的相關書籍，在不同的消費認同下敘說著「孫中山一生擁有多種身分，醫生、改革主義者、造反者、商人、外交家、現代化先行者、軍事領袖、理論家和國家元首；而在諸多外國學者眼中，孫中山是自相矛盾、前後不一的投機主義者、不幸的先行者、壯志未酬的烏托邦者——被當作是串場的過渡性人物，隱身於大歷史的敘事當中。（閔宇經，2016：45–46）」

白吉爾（Bergere）（1994/2010：367）謂：「1950年至1725年，這段期間的《三民主義》是一個不斷演變的學說，一個持續適應新環境的意識形態。」孫中山思想成份中的「簡易」與「變易」是為了革命建國最終「不（變）易」的理想；革命行動上的「妥協」，是為了成就終極目標的「不妥協（堅持）」。

150多年後的今天，時間距離我們不遠也不近，歷史再現給我們的不少也不多，正是適當做出評價的時候。無須神化也無須醜化，其實孫中山只是平凡的現代化知識分子，具有先知先覺／發明家能「產製觀點」的「創新」特質、後知後覺／宣傳家能「號召行動」的「熱情」特質、不知不覺／實行家「永

不妥協」的「犧牲」特質，兼集三項特質於一身的現代化知識分子，史扶鄰（Schiffrin）（1980/2010：518）說：「偉人都有兩次生命，其一是他在世時的豐功偉績，其二是始於去世之日，只要他留下的思想觀念依然存在，那麼他的生命就永世長存。」孫中山的德、功、言、行，除了典型在夙昔之外，也曜曜於今朝。

第四章

國族主義的世界主義[*]

---

[*] 本章原名〈孫中山的世界主義：從「國族獨立」到「世界和平」〉，初稿曾於 2018.08.24「第 6 屆孫文論壇：民族復興與文明對話」（台北：國父紀念館）宣讀並經評論人評論，今部分內容在全書脈絡下增刪改寫。

> 對於弱小民族要扶持他，對於世界的列強要抵抗他
>
> 孫中山

壹、前言

許多第三世界國家的發展經驗表明，現代化過程常受阻於外來侵略或干涉。除非第三世界國家的領袖真誠地致力於實現國家現代化、否則即使國家贏得了主權，也不能使國家擺脫貧窮與落後（Schiffrin, 1980/2010: 497）。換言之，透過民族主義所召喚出來的是另一場失序與災難，或許打破了君主專制體制，但是民族經濟未能建立和國民民主素質未見提升，國家卻走向另一種官僚／軍人把持的專制體制。

孫中山以民族革命為號召成功地建立民國，但袁世凱未能明白新中國的時代意義，以致稱帝未遂後使中國不幸地走向軍閥割據的局面。他認為應恢復民族精神地位，否則中國會亡國滅種，是否是以民族主義對抗帝國主義的「恐怖平衡」策略？又他主張的世界主義是否會重蹈覆轍，開啟黃禍，去走滅別人國家的老路？

桑兵（2015：268）認為時局的變化、獨特的教育背景閱歷以及革命之需要，使孫中山從一開始就具有一種超越國界的世界性眼光，主動把他所從事與領導的中國革命與整個亞洲乃

至於世界形勢的變動發展聯繫在一起 [1]。自然孫中山所主張的
民族主義，在世界潮流趨勢中，與世界（主義）高度共伴相關
的。

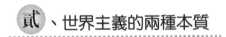

貳、世界主義的兩種本質

一、民族主義的雙元性

實際上民族主義和世界主義高度互動相關，孫中山在分類
概念上企圖劃分兩者，並指出落後（民族）國家與先進（民
族）國家應秉持的態度立場，他所主張的民族主義和世界主義
存在三個命題。

這三個命題分別是，第一：他認為民族主義是必要存在
的，對內作為推翻滿清的「攻擊型」策略，尤其是對太早進入
世界主義的中國，是對抗侵略式帝國主義「圖生存」的寶貝，
是一種「防禦型」的策略；當然對世界其他弱小落後（民族）

---

[1] 根據桑兵（2015：267-268）的統計：孫中山有 31 年以上（即生命之
一半）在異國他鄉度過，以地域分，亞洲 21 年 10 個月（其中香港 8
年 9 個月，澳門 5 個月，日本 7 年 10 個月，南洋 3 年 10 個月），美
洲 9 年 1 個月（其中檀香山 7 年，美國大陸近 2 年，加拿大 3 個
月），歐洲 1 年 8 個月（到過英、法、德、比等國），先後在 14 個
國家和地區旅行、活動和生活，這些經歷對孫中山的思想、情感和行
為產生了深刻的影響。

國家也適用。第二：列強的帝國主義是由霸道的侵略性民族主義偽裝而成，他倡議王道和諧的世界主義，不是用政治的力量去滅別人的國家，而是用經濟（資金、技術、設備、人才⋯⋯等）的力量去協助弱小國家，這種互惠、合作的精神也可視為「巧者拙之奴」在國際政治上的呈現。他說到：

> 蒙昧之世，小國林立，以千萬計，今則世界強國、大
> 國僅六、七耳。由此更進，安知此六、七大國不更進
> 而成一世界唯一大國，即所謂大同之世是也。雖然，
> 欲泯除國界而進於大同，其道非易，必須人人尚道
> 德、明公理，庶可致之。今世界先覺之士，鼓吹大同
> 主義者已不乏其人，我五大種族皆愛和平，重人道，
> 若能擴充其自由、平等、博愛之主義於世界人類，則
> 大同盛軌，豈難致乎？〈北京五族共和合進會與西北
> 協進會發表講話〉

從前述的文字而論，第三：他雖未明言，但可推知，從六、七大國到唯一大國，大同必存小異，應如同三民主義的建設順序，先從經濟社會再到政治與民族，求同少異，再進大同，如此才是自由、平等、博愛，愛和平、重人道的世界主義大國。

因此，孫中山的民族主義具有以下若干的雙元性特色。第一，是對內和對外作為攻擊和防禦的策略工具；第二，對於現

世霸道的帝國主義具有啓發性，莫再利令智昏（例如大亞洲主義中對於日本的提醒），對於未來中國所承載的世界主義具有當責性，應當濟弱扶傾。

二、世界主義的當責性

他對世界主義有兩種分類，一種是霸道的世界主義，他曾說「歐洲人現在所講的世界主義，其實就是有強權無公理的主義，英國話所說的『能力就是公理』，就是以打得的爲有道理。《民族主義·第四講》」霸道的世界主義是民族主義、國家主義、資本主義的綜合體，是一種「變相的帝國主義」[2]。

他認爲中國失去民族主義已經太久，又太早進入世界主義，這個「既往之陳跡」使得中國在面對西方強權式的侵略性世界主義，若仍然隨之起舞，將有亡國滅種之虞，他說到：

> 有謂歐洲各國今日已盛倡世界主義，而排斥國家主義，若我猶說民族主義，豈不逆世界潮流而自示固閉！不知世界主義，我中國實不適用！因中國積弱，主權喪失已久，宜先求富強，使世界各強國皆不敢輕

---

[2] 他們想永遠維持這種壟斷的地位，再不准弱小民族復興，所以天天鼓吹世界主義，謂民族主義的範圍太狹隘。其實他們主張的世界主義，就是變相的帝國主義與變相的侵略主義。《民族主義·第四講》

視中國，賤待漢族，方配提倡此主義，否則漢族神明
裔冑之資格，必隨世界主義埋沒以去。〈求學在立志
救國〉

孫中山所崇尚的是另一種世界主義，強調中國固有文化中
仁愛、和平……等內涵的王道的世界主義，這是一種自由、平
等與博愛的世界主義。但是又要避免中國強盛之後步入西方之
後塵，成為西方所恐懼的「黃禍」，或者又走上侵略別人的老
路，要解決這個「方來之大患」，唯有採取「思患預防」的方
法，就是在倡議民族主義到世界主義的理路上，重新恢復中國
固有的王道精神。

他的世界主義整體思維，在於將中國從現有的西方霸道式
的世界主義中解放出來，因為這種侵略式的帝國主義已經造成
中國淪為殖民地與次殖民地，國民革命的目的即是在求中國之
平等，然後進入孫中山理想中王道的世界主義。

表 4-1　孫中山的世界主義和 Schiffrin 民族主義的分類

史扶鄰的民族主義分類	武力的民族主義	和諧的民族主義
孫中山的世界主義分類	霸道的世界主義	王道的世界主義

資料來源：筆者自製。

可以發現「既往之陳跡」、「方來之大患」和「思患預防」，雖然是民生主義的論述邏輯，但是基於三民主義的連環性，或者根本回到孫中山思想（維）或行動特點上，都是同理（同體）適用的。

孫中山雖然在民族主義中強調列強的三種壓迫（人口、經濟、外交），倡議危機的目的在喚醒國人恢復固有倫理道德和智識，選擇一條「和諧的民族主義→王道的世界主義」內聖外王的理路，避免中國強盛之後走滅人家的老路，如果中國選擇「武力的民族主義→霸道的世界主義」是他所不樂見的。

對於世界主義和民族主義的關係，孫中山有一段經典的「簡易」妙喻，他說道：

> 用這個比喻說，呂宋彩票好比是世界主義，是可以發財的。竹槓好比是民族主義，是一個謀生的工具。中了頭彩的時候，好比是中國帝國主義極強盛的時代，進至世界主義的時代。《民族主義·第三講》

在《民族主義》中，孫中山的世界主義論點是：「我們要知道世界主義是從甚麼地方發生出來的呢？是從民族主義發生出來的。我們要發達世界主義，先要民族主義鞏固才行；如果民族主義不能鞏固，世界主義也就不能發達《民族主義·第四講》。」也就是說孫中山的世界主義起始點是從民族主義開始的。

　　另外，孫中山的世界主義也不純粹只關注民族主義而已，朱諶（1992：58）教授已在〈孫中山先生的民族主義思想〉一文中指出：「敘述孫中山先生民族主義思想時，必涉及文化的、倫理的、政治的、經濟的民族主義，甚至是孫中山的世界觀，都包容羅納在內。」因此他的世界主義，當然不只是民族主義，也同時包含民權主義（政治的）和民生主義（經濟的）。」

　　顯然《實業計畫》是此最佳例證之一，史扶鄰認為：「《實業計劃》具有經濟民族主義特質，指望西方人為之提供管理和訓練，中國大眾則提供勞動力，以便迅速地再現工業革命、趕超西方和日本的綱領。」《實業計畫》在孫中山的世界主義中具有樞紐角色，同時具有民族（文化／倫理）、民權（政治）、民生（經濟）的性質，同時具有國際政治和國際經濟的色彩。

　　孫中山要「避那惡果」，避免世界三大問題——國際戰爭、商業戰爭與階級戰爭——在此國際發展實業計畫中，同一實行之解決《實業計畫・結論》，要「取那善果」，以外國的機器、技術，加上中國所提供的人力和消費市場，國際共同合作開發中國富源，以互助取代競爭。

、世界主義的發展過程

「民族主義在三民主義中雖然歷史最悠久，但一直到民國
13 年『第一次全國代表大會宣言』發表及『民族主義』講稿
出版時，纔有最後的具體說明。（崔書琴，1992：1）」段雲
章（2009：159-160）也發現民族主義與世局的共變性，他說
道：「孫中山從幼好打不平。隨著對國情世情的瞭解，他把這
種打不平的念頭，上升爲『抑強扶弱』、『濟弱扶傾』的思
想。再提高爲全世界被壓迫民族聯合起來共同奮鬥。」

〈臨時大總統就職宣言〉可以看成是孫中山的民族主義進
化到世界主義的轉折點，他說道：

> 臨時政府成立以後，當盡文明國應盡之義務，以期享
> 文明國應享之權利。滿清時代辱國之舉措，與排外之
> 心理，務一洗而去之，與我友邦益增睦誼，持和平主
> 義，將使中國見重於國際社會，且將使世界漸趨於大
> 同。〈臨時大總統就職宣言〉

這段話標舉著「隱晦的」民族主義公開地進入世界主義，
以及中國自身在世界體系中的定位，與世界列強的關係，和中
國未來應扮演的角色。

關於孫中山民族主義思想的轉折，「三時期說」大抵為現在多數學者所認同，崔書琴的《三民主義新論》和莊政（1991：1-19）的《國父民族主義的形成與發展探源》，亦是如此分類，因此從民族主義而生的世界主義，是逐步發展成熟的，我們從後設研究的觀點將此「三時期說」簡約製表並說明如後。

表4-2　孫中山民族主義到世界主義的進化階段與核心內涵

雙元性	階段任務	耦合性	核心	分期	起記時間
民族主義	排滿覆清國族獨立	民族	自由	初期	第一階段：中法戰爭至同盟會成立(1885-1905) 第二階段：同盟會成立至民國肇建(1905-1911)
	內求統一外求解放	民族＋民權	平等	中期	民國成立至第一次世界大戰終了（1911-1919）
世界主義	濟弱扶傾世界和平	民族＋民權＋民生	博愛	晚期	第一次世界大戰結束至民國13年孫中山逝世（1919-1924）

資料來源：筆者自製。

初期的目標在於排滿覆清、國族獨立，核心內涵是自由。對內的主張在於「驅除韃虜族到吾們的區域以外」（〈中國問題的真解決〉），也就是完全以漢族為中心的民族主義，或所謂的「狹隘的民族主義」（李劍農，1969：603）、「小民族

主義」[3]。這個時期在建立國內與國外革命運動的合法與合理性，例如在 1900 年（民前 12 年）的〈致香港總督歷數滿清政府罪狀並擬訂平治章程請轉商各國贊成書〉【按：對英國】滿清之積弊爲：任用私人、屈俊傑、尚詐術、瀆邦交、嫉外人、虐民庶、仇志士、尚殘刑；而滿清現在之兇頑則爲：誨民變、挑邊釁、仇教士、害洋商、戕使命、背公法、戮忠臣、用償師、忘大德、修小怨。以利弊得失說服各國「呈請助力，以襄厥成，願借殊勳，改造中國」，希望得到認同與支持。

又如在 1904 年〈中國問題的眞解決〉【按：對美國】說道：「吾們人民，在他們蠻族統治下的二百六十年裏面，曾經受了許多的虐待。」也列舉了滿清十種對人民的虐民苛政[4]，

---

[3] 梁啓超以爲：以漢民族爲主體，推翻滿清統治，建立民族國家，進而與列強競立於世界，此種作法爲「小民族主義」；而把中國境內各民族視爲一體，以立憲爲手段，目的在救整個中國者爲「大民族主義」。

[4] 一、那韃靼人的政府，一切舉動，只顧他們自己的利益，而不顧被治的人的利益。二、他們阻礙吾們在智識和物質上的發展。三、他們看待吾們，是一個下等的民族，不許吾們享同等的權利和特典。四、他們剝奪吾們天然得到的人生權利、自由和財產。五、他們常常施行官場的賄賂行爲，和從容受賄的人。六、他們禁止言論自由。七、他們不徵求吾們的許可，而徵收很煩重和不法的捐稅。八、他們於審訊一個可以申辯的罪犯時候，常常施以各種很野蠻的暴刑，強迫地使他供出本身確是犯罪的證據。九、他們往往不經過法律的手續，就來削奪吾們的權利。十、他們在保護一切人民的生命財產失職的時候，能得不受法律的懲戒。

可以發現，這十種虐待人民的指控完全是以西方的人性尊嚴、天賦人權、民主自由法治……等理念爲標準而寫；在爭取國內認同方面，則如《民權主義》六講中所言。

　　孫中山試圖將國內、外的敵人再予以區分爲兩類。例如他說道：「列強各國對於中國，有兩種矛盾的政策，一種就是專心做那分割而開拓殖民地，還有代辯領土完全而開拓殖民地，又有一種是代辯中國的領土完全和獨立的（〈中國問題的眞解決〉）。」在國內方面，1906 年〈三民主義與中國民族之前途〉文中，孫中山表明：

> 民族主義，並非是遇著不同族的人，便要排斥他，是不許那不同族的人，來奪我民族的政權。…我們並不是恨滿洲人，是恨害漢人的滿洲人。假如我們實行革命的時候，那滿洲人不來阻害，我們決無尋仇之理。
> 〈三民主義與中國民族之前途〉

　　他要拉攏「友好的」勢力共同去對抗「敵對的」勢力。也象徵著國內「種族的」民族主義進入到「文化的」民族主義，亦即「漢族當犧牲其血統、歷史與夫自尊自大之名稱，而與滿、蒙、回、藏之人民相見以誠，合爲一爐而冶之，以成一中華民族之新主義」。

　　在這個階段裡，他所訴求的民族主義，其實帶有非常濃厚的國家主義色彩；換言之，民族主義的目的在於「國家獨

立」，孫中山用了一個「國族主義」的名詞來完成這種聯繫，「孫中山常自謂『民族主義就是國族主義』，顯然地他要以文化概念下的民族主義為基底，連結並建立政治概念的共和國。（閔宇經，2016：104-105）」民族主義文化與政治的雙元性，在於國族獨立，脫離半殖民地與殖民地的地位，國家得完全自由。

　　中期的目標在於內求統一、外求解放，核心內涵是平等。此時期對內主張是「五族共和」，孫中山不斷地在各種文告、演講、函電、著作中表明「立於平等地位」、「各於在政治上有發言權」、「同心協力共策國家之進行」，例如他提到「帝制已除，合五大民族為中華民族」〈復北京蒙古聯合會推舉袁世凱繼任臨時大總統〉、「實欲合全國人民無分漢、滿、蒙、回、藏，相與共享人類之自由」〈致北京蒙古各王公勛團結一致並盼推舉代表來寧共議要政電〉、「從此南北一家，同心協力，竟破壞之功，開建設之緒，鞏我共和民國之前途，增我群人民之福利」〈致北方各將領賀南北統一成功電〉。很明顯地，此時所面臨到的挑戰是如何將民族主義，連結落實成為民族的／國族的具體可行的「政治制度」，並解決國內軍閥割據，南北復歸統一。另外，在〈中國之鐵路計劃與民生主義〉中提到：

　　　　尤其重要者，則為保障統一之真實，蓋中國統一方能自存也。一旦統一興盛，則中國將列於世界大國之

林，不復受各國之欺侮與宰割。今時機已至，中國將
能自立以抵禦外來之侵略矣。〈中國之鐵路計劃與民
生主義〉

此時期日本駐兵南滿、俄國駐兵外蒙、法國駐兵滇黔、英
國駐兵西藏，幾欲瓜分中國。正因為鐵路能連結國內各地，並
通往列強勢力虎視眈眈的東北、新疆、西藏等地，強化交通即
是確保國防，他的民族主義也開始從民權的政治體制連結到民
生主義的實業建設。對外並未積極主張廢除不平等條約，但仍
在〈委託南洋同志變賣庇能房屋函〉和〈為中日交涉復北京學
生書〉對於日本提出二十一條要求甚為注意。畢竟民國初成，
若斷然宣布廢除在華特權否認所有不平等條約，勢必招致極端
反對，毀壞共和。

這個階段裡，在民國 6 年的〈中國存亡問題〉中，孫中山
強調帝國主義欺壓被壓迫民族的普遍事實，因此他所訴求的民
族主義，逐漸從國族獨立進化到濟弱扶傾，他發現要中國獨自
爭取廢除不平等條約是困難的，因此日後呼籲聯合世界上被壓
迫民族。

晚期的目標在於力主同化、共進大同，核心內涵是博愛。
民族主義對內的主張是「民族同化」例如在民國 9 年的〈修改
章程之說明〉中談到：「現在說五族共和，實在這五族的名詞
很不恰當。我們國內何止五族呢？我的意思，應該把我們中國
所有各民族融化成一個中華民族。」

　　對外的主張是濟弱扶傾、共進大同。在〈中國國民黨第一次全國代表大會宣言〉中主張必須廢除不平等條約[5]，進而濟弱扶傾，在〈大亞洲主義〉中說道：「我們講大亞洲主義，研究到結果，究竟要解決甚麼問題呢？就是為亞洲受痛苦的民族，要怎麼樣才可以抵抗歐洲強盛民族的問題。簡而言之，就是要為被壓迫的民族來打不平的問題。」在〈民族主義‧第六講〉孫中山指出：

> 中國對於世界究竟要負甚麼責任呢？現在世界列強所走的路是滅人國家的；如果中國強盛起來，也要去滅人國家，也去學列強的帝國主義，走相同的路，便是蹈他們的覆轍。所以我們要先決定一種政策，要濟弱扶傾，才是盡我們民族的天職。我們對於弱小民族要扶持他，對於世界的列強要抵抗他，如果全國人民都立定這個志願，中國民族才可以發達。〈民族主義‧第六講〉

　　〈大亞洲主義〉和《民族主義‧第六講》是孫中山民族主

---

[5] 主要有以下三項主張：(一)一切不平等條約，如外人租借地，領事裁判權、外人管理關稅權，以及外人在中國境內行使一切政治的權力，侵害中國主權者，皆當取消，重訂雙方平等互尊主權之條約。(二)凡自願放棄一切特權之國家，及願廢止破壞中國主權之條約者，中國皆將認為最惠國。(三)中國與列強所訂其他條約，有損中國之利益者，須重新審定，務以不害雙方主權為原則。

義和世界主義最晚期的著作,連同他在〈遺囑〉中交代的「必須喚起民眾及聯合世界上以平等待我之民族,共同奮鬥」,和最短期間內「開國民會議及廢除不平等條約」等說法,孫中山所念茲在茲的「和平、奮鬥、救中國」,即在於造成一個完全統一且獨立的國家,用固有的和平道德做基礎,濟弱扶傾,成立一個大同之治,以盡我們民族的天職,這也是所有「變」中「不變」的終極理想。

段雲章曾指出孫中山面對列強的兩種面貌,一種是天真地寄望先進強國能理解和支持中國民主共和革命,另一種是企圖運用策略,離間侵略勢力,以減統一的阻力。「其策略運用方式雖與時俱變,但策略運用與幻想交織的情形,則貫穿在他的一生。(段雲章,2009:83-84)」我們常常可以看到孫中山在天真/幻想、現實/理想之間的矛盾,然若一切在社會運動的脈絡中去思維他所面臨的挑戰,那麼孫中山的選擇,應當是非常務實的。

最後必須一提的是,〈中國問題的真解決〉、〈實業計畫〉、〈大亞洲主義〉三份文本的重要定位。〈中國問題的真解決〉以英文寫於 1904 年(民前 8 年)第五次訪美期間,主要對象是美國(歐美人士),是第一次以英文對外發表宣言,內容旨在控訴滿人(滿清政府)倒行逆施,宣揚革命的正當性,並希望美國人民,在道義和物質兩方面,給予同情和援

助，期許成為辣斐德（Lafayette）[6]。

〈實業計畫〉原名〈國際共同開發中國實業計劃書〉以英文寫於 1921 年（民國 10 年），希望歐戰後引進外資外才，共同開發中國並解決歐戰後的兵戰、商戰等問題。〈大亞洲主義〉於 1924 年（民國 13 年）於日本神戶高等女校的演講詞，由黃昌穀記錄，希望日本能成為亞洲王道主義的干城。這三篇文本雖然在不同時間寫成，但核心思想都在說明保持中國的完整性才是全世界的利益，希望透過民族主義和世界主義的槓桿操作，能獲得同情中國處境的友好人士支持。

肆、民族主義的槓桿與支點

孫中山一直巧妙地運用民族主義，作為對內和對外攻擊和防禦的策略工具，他一直將世界主義當作「槓桿的長短」，把民族主義當作「支點的遠近」，以便獲得最佳的總體資源動員能量。

在革命的許多時間裡，孫中山並非都是舉足輕重的頭角人物，同盟會的總理也是黃興禮讓而來的，所以在臨時大總統的

---

[6] 辣斐德（Lafayette，又有譯拉法葉、拉斐德），法國將軍。1775 年美國獨立戰爭開始，認為「美國的獨立將是全世界熱愛自由人士的福祉」，於是 1777 年自備戰艦募集人員，參加美國獨立戰爭，與美洲殖民地人民共同對抗英軍。

位置上，才會有章炳麟（太炎）所謂「論功應屬黃興，論才應屬宋教仁，論德應屬汪精衛」的說法。

　　在政治上，孫中山往往處在極度困窘的情況中，雖然資源有限、革命氣候尚未成熟，但他的確是「亟欲改變民族的在所屬國家內的處境，透過持續抗爭來創造有利於達成目標的條件，並耐心等候時機成熟，成為形塑新國家體系、新權力結構與意識形態的創造者和領導者（Martin, 1987: 73）。」

　　在民族主義初期階段，孫中山和眾多的知識分子因為對政權強烈不滿的相對剝奪感（relative deprivation）[7] 而投身革命，他們所擁有和能夠動員的資源實在微不足道，仍然無法撼動滿清政權，即使面臨腐敗失效的國家機器與亡國滅種的國際環境，處於廣大不知不覺的民眾仍然「普遍不生感覺」。

　　孫中山的選項極其有限，他必須爭取西方友善勢力對中國革命的同情與支持 [8]，「他清楚地意識到，中國處於強鄰環列、瓜分豆剖的危局之中，是列強共同爭奪的對象，反對君主專制的革命只有在有效地防止列強干涉的情況下才能順利進

---

[7] Ted Gurr 主張相對剝奪（relative deprivation）是人們參加政治暴力和革命的主要心理狀態，是成員對社會感受到價值期望與價值現實的差距。這種相對剝奪的來源是期望和現實的差距。Davies 指出當差距到了不能忍受時，革命便產生了。

[8] 例如在〈中國問題的真解決〉中提到：而更特別地希望合眾國的人民，在道義和物質兩方面，給我以同情和援助，實在因為你們是西方文化的先鋒，並且吾們很願望跟隨著你們來建造一個嶄新的政府。

行[9]（桑兵，2015：269）。」直到倫敦蒙難後，孫中山才得以在國際舞台上漸漸嶄露頭角。多次選在南方以失敗告終的武裝革命使得他被通緝，難以進入內地，只能在歐美、南洋、日本一帶活動，持續地宣傳主義和募款，在多數的黨人印象中，「頂多認為孫是一個全權大使、籌措經費者，以及洋務專家。（Bergere, 1994/2010: 227）」

辛亥革命只是讓革命黨人和清廷暫時對峙而已，如同Tilly 指出：「當角逐者（或角逐者聯盟）提出訴求要取代現行的政體時，握有強制力的政體不願或無法鎮壓角逐者的訴求時，革命便產生了。」各省的響應增加了革命黨的資源籌碼，加上袁世凱的私心自用，列強的暫時觀望才是壓垮清廷的最後一根稻草。

諷刺的是武昌起義拜鐵路鎮壓風潮之賜，袁世凱的善後大借款也與鐵路有關，而孫中山任全國鐵路總督辦時，也一改反對列強的態度，向各國借款興辦建設鐵路，急欲完成眾人眼中「不可能的任務」，「鐵路」帶來西方列強的勢力入侵，也可以流通貨物和天然富源以振興實業，完成孫中山的「中國夢」。但他內心知道「他們不至於笨到這般地步，實施商業的自殺來幫助我們擁有自己的工業威力而成為獨立的國家。〈復

---

[9] 桑兵（2015：269-270）：孫中山最早設想的策略有二：其一，利用列強之間的利害衝突使之相互交叉牽制，防止各國聯合對中國進行侵略瓜分；其二，重點爭取一兩個實力強勁的大國給予支持援助，以便有效地影響其他國家的態度和決策。

魯塞爾論中國社會經濟問題的性質函〉」

　　孫中山在鐵路借款之事前後不一的態度，讓我們再度見識到他的「時變」，在《實業計畫》中他也再次展現思患預防的核心思維，使我們了解到他的「不變」堅持是「主權必須操之在我」，必選最有利之途吸引外資以應國民之所最需要。

　　在民族主義中期階段，孫中山主張的政府體制一直是改良式的五權憲法制（類似美國的總統制 [10]），隨著宋教仁成功地整合國民黨，也為了防止袁世凱帝制的野心，他不得不同意宋教仁所主張的議會內閣制，這種「時變」，直到日後孫中山著手撰寫心理建設的《孫文學說》時，也才了解他的「不變」是始終堅持要按照〈建國大綱〉的三程序來完成政治建設。

　　他的社會運動（革命行動），企圖將民族主義導入一種新型態有效治理、除弊防貪的政治結構，避免本國人打本國人、同志打同志，若是大家都在爭皇帝，人民的禍害便沒有止境。「我從前因為要免去這種禍害，所以發起革命的時候，便主張民權，決心建立一個共和國」（《民權主義・第一講》）

　　在民族主義晚期階段，南方軍政府的孫中山，根本無受重視，林百克（Linebarger, 1926/2014: 109）曾寫道：「當先生在粵組織護法政府以抗北方敵人時，以北京政府得帝國主義之助力，外交上處處均佔先著。先生則反是，孤立無援，形勢日

---

[10] 孫中山在〈中國革命史〉中說道：「余於臨時大總統任內，見革命方略，格而不行，遂不惜辭職，非得已也。換言之，無法實現類似美國總統制也是他辭職的原因之一。」

在風雨飄搖之中。其時歐戰告終，德國受制於列強，已無侵略中國之野心。……先生認德國是時亦為被壓迫民族，主張中俄德聯盟。」受到蘇聯和德國的友好表示，此時的「聯俄容共」，若按照孫中山一貫以來的思患預防思維，究竟是「時變」，還是心中有著更遠大的「不變」？一切都停留在和平、奮鬥、救中國的呢喃中，徒為歷史的夢囈。

伍、結論

　　孫中山的民族主義連結到民權主義（的政治體制）和民生主義（的實業建設），作為「種族圖生存、國家圖發達的寶貝」；他的世界主義連帶著和《實業計畫》及〈大亞洲主義〉共同來看，也帶有區域和平、國際政治經濟的視野，這是他的思維特性，總是希望民族、民權與民生問題畢其功於一役。

　　即使中國是變相帝國主義的受害者，孫中山也不採取消極報復式而是積極或和諧式的民族主義，史扶鄰（Schiffrin）（1980/2010: 493）指出：這種民族主義的發揚是內部重生的建設性努力，而非依靠仇外的治療方法，是反抗帝國主義的民族主義，同時也以同等地位承認自己的國家和外國的利益。

　　從民族主義到世界主義，他的思維不斷地進行滾動式的修正，常有因時依勢的變化，從規撫歐美學說事蹟和中國的國情當中，孫中山的民族主義／世界主義，即採取一種思患預防的

方式,以和平及王道的固有道德為基礎,避免中國走上「黃禍」的霸道世界主義,反而可以扮演「黃惠」的世界責任。這種理念,正與傳統的儒家精神相吻合。

民族主義雖有階段性的內外主張不同,然而在 1906 年(民前 6 年)〈民報之六大主義〉[11]中已經清楚指出:對內為顛覆現今惡劣政府、建設共和政體、土地國有【按:日後所行政策與之並不盡相同】;對外為維持世界真正的和平、聯合中國日本兩國之國民、要求世界列國贊成中國之革新事業。可以發現,與孫中山民族主義各階段方向,大致雷同。

無論如何,如同他所說:「大凡一種思想,不能說是好不好,只看他是合我們用不合我們用。如果合我們用便是好,不合我們用便是不好。(民族主義‧第三講)」、「如果平等有時是好,當然是採用,如果不好,一定要除去。像這樣做去,才可以發達民權,才是善用平等。(民權主義‧第三講)」孫中山心理非常明白,何者是可變的戰術,何者又是不變的戰略,「國族獨立、濟弱扶傾、世界和平」,才應當是這些「時變」中之「不變」。

---

[11]〈民報之六大主義〉雖為胡漢民之作,但我們知道整個〈民報〉孫中山用力甚深,胡漢民和汪兆銘深受孫中山重用,有多篇口授而筆錄均出自他們文字(林志宏,2015:xix)。

第五章

身體與生命政治部署*

---

* 本章原名〈從《中國革命史》試論孫中山身體與生命政治的部署〉，初稿曾於 2017.06.24「孫中山民權思想與台灣政治發展」學術研討會（台北，國父紀念館）宣讀並經評論人評論，今部分內容在全書脈絡下增刪。

> 吾心信其可行，則移山、填海之難，終有成功之日
>
> 孫中山

壹、前言

2016 年 7 月出版的《素顏的孫文：遊走東亞的獨裁者與職業革命家》，作者橫山宏章（2016：217）認爲：「只要仔細分析新撰寫的《建國方略》便可得知，孫文是以『愚民論』認定人民愚昧無知，無法交付政治責任，以及以『訓政保母論』，認定革命黨必須教育人民，這兩個主張，來完成一黨獨裁論。」該書基於歷史事實，對於孫中山從二次革命到成立中華革命黨所做的「認知－陳述－評價」，基本上與其它歷史研究不會有太大差距，但在橫山宏章心中重演／再現的是孫中山的獨夫形象。終生以推翻滿清君主專制爲志業的孫中山，竟然是個獨裁者？民國初成，有「民國之名，而無民國之實」，對民主共和共同體的異質想像，以及缺乏共同的信仰，才是孫中山極力規畫實踐建國三程序的原因。

橫山宏章的論題並非新聞，學界也早已有系統地從政治發展和政治社會化的角度予以辯答[1]，本章則企圖把這個問題帶入傅柯（Michel Foucault）的理論部署中予以間接回答。在第

---

[1] 可參見中山大學中山所主編（1982）。《民權主義的理論與實踐》。台北：國立編譯館。

一個層次上，觀看孫中山的〈中國革命史〉中，已經具有何種關於身體與生命政治的初步指涉；在第二個層次上，站在更後設的立場去關照孫中山《建國方略》等文本中有關身體與生命政治的理論部署，經由傅柯與孫中山的思想對話，讓孫中山思想的模因（meme）永續存在，與當代社會理論並驅於世界。

貳、〈中國革命史〉的初步考掘

逝世於 1925 年的孫中山看不見的是整整 50 年之後，傅柯在《規訓與懲罰》（*Discipline and Punish*）（1975 年出版）書中梳理了西方古典時期、法國大革命之後到現代監獄的刑罰史，考掘出「知識－權力－控制」的系譜，從「懲罰」中總結出「規訓」不僅是一組論述化暴力的壓抑機制，更具有相當複雜的社會功能。「Foucault 看到了一個更普遍的系統，在此權力的運作宰制了個人，控制的觀念支配了身體。簡言之，這主要是一個更有效，而不是更公正的懲罰系統，它能夠『讓懲罰更深入到社會的身體』。（Dodd, 1999/2003: 113–114）」其實是讓規訓／控制／支配，也就是「權力」更深入到社會的身體。

表 5-1　傅柯權力部署的雙元特性

微觀分析	王權的統治 人體的解剖政治	17世紀以前	生：―――――― 死：刑罰（死刑）	對象：身體、心靈（心理）
宏觀分析	國家的治理 人口的生命政治	18世紀中葉後	生：生命權力 死：戰爭、屠殺	對象：人口、安全、領土

資料來源：作者自行整理。

　　傅柯運用所謂的「歷史考古學」，一種針對思考或論述體系從事歷史分析的途徑，考掘出「權力的系譜」，建構權力「變遷」的轉型系統，超越了馬克思在歷史的分析中對「階級－權力－剝削」的認識[2]，權力的魔鬼不只存在於階級當中，而是躲藏在生活細節裡。傅柯在《規訓與懲罰》所關注的歷史，是身體遭受懲罰的歷史，是身體被納入生產計畫中的歷史，是權力將身體做為一個馴服的生產工具進行改造的歷史。（汪民安、陳永國，2003：20）而在《性經驗史》中，更是進一步地將權力的演繹詮釋從「讓人死」過渡到「讓人活」，從個人身體的規訓懲罰轉變到集體安全的生命政治，傅柯主張：「這一管理生命的權力自 17 世紀以來發展出兩種形式，第一種是以作為機器的肉體為中心所形成的，對其矯正、提升和榨取，是一種『人體的解剖政治』；第二種大約在 18 世紀中葉

---

[2] 陳培永（2017：7）認為：福柯和馬克思進行同樣的事業，批判的是同一種生產方式和社會型態，只不過一個是權力邏輯的批判，一個是資本邏輯的批判。

孫中山思想中的時變與不變

形成的，以物種作爲生命過程的肉體載體爲中心的，如繁殖、出生和死亡、健康水平、壽命和長壽，是一種『人口的生命政治』。（Foucault, 1976/2016: 116–117）」從「送死」到「養生」，傅柯嘗試去進行生命權力機制的理論部署，權力的最高功能不再是殺戮，而是更爲極端的控制。

在〈中國革命史〉中，孫中山梳理了自中法戰爭以來37年的革命歷程，不同於傅柯對於歷史檔案進行的側身觀察，孫中山本人則是置身於當代歷史事件當中，但與傅柯同樣是從一連串歷史事件的「轉變」過程，具體從人們的「所做所爲」中，開展出隱藏於其後的「永久一致性概念」，如果說傅柯對歷史進行的是知識論上的陳述[3]，而孫中山對歷史進行的則是實踐論上的陳述。孫中山說道：

> 然以爲此役遂足以現中華民國之實乎？則大謬不然，於何證之？以十二年來之已事證之。十二年來，所以有民國之名，而無民國之實者，皆此役階之屬也。舉世之人，方疾首蹙額，以求其原因而不可得，余請以簡單之一語而說明之，曰：此不行革命方略之過也。
> 〈中國革命史〉

---

[3] Veyne 的觀點認為：福柯式的系譜——歷史因此完全充實了傳統的課題；它沒有忽略社會、經濟等，但它以不同的方式來建構這一素材——不是通過世紀、人物或文明，而是通過實踐活動。（Veyne, 1997: 181）這裡所謂的實踐活動是指人們的「所做所爲」。

　　如果可以從傅柯早期的身體政治到後期的生命政治統整出
一貫的核心思想，那就是無所不在的「權力」；而孫中山在
〈中國革命史〉表面上所關心的是《革命方略》無法貫徹執
行，他說道「以上所述，皆十二年來之擾攘情狀，人人所共見
共聞者。尋其本原，何莫非不行革命方略有以致之。」（〈中
國革命史〉）

　　實際上從辛亥之役、討袁之役、護法之役……以來的十二
年裡，僅有民國之名，而無民國之實，究其原因是整個「權力
部署」問題，實則孫中山與傅柯關懷的同樣是權力問題。

　　孫中山急切想要部署的是從「君權」轉換成「民權」的權
力系統，他對於袁世凱毀棄約法、解散國會、廢帝復辟深惡痛
絕，但他也知道五千年的專制遺毒已深入人心，非一夕一朝可
能祛除，因此在〈中國革命史〉中特別強調必須經過軍政（破
壞時期）、訓政（過渡時期）、憲政（建設完成時期）三程序
（這三個時期都是「革命時期」），甫能完成整個國民革命的
破壞－建設時期，其中孫中山論述最為詳盡的是過渡時期。

　　如表 5–2 所示，本章再把過渡時期分為前期的「建設地方
自治」和後期的「組織中央政府」兩階段，可以初步發現在
「建設地方自治」階段，孫中山強調「了解三民主義」和「國
民的建設能力」，實已具有傅柯式的身體政治內涵，而「人口
清查，戶籍釐定，警察、衛生、教育、道路」六項地方自治事
項，實已具有傅柯式的生命政治的內涵。傅柯的權力部署同時
具有「死（讓人死）／生（讓人活）」兩個面向，而孫中山的

孫中山思想中的時變與不變

表 5-2 〈中國革命史〉中「過渡階段」的論述內容

前期 建設地方自治	1.以縣為單位，自驅除敵兵戰事停止之日起 2.頒布約法，規定人民權利義務與革命政府統治權限 3.以三年為限，三年期滿，則由人民選舉其縣官 4.或不滿三年但完成下列全部事項者，可立行自選縣官成立完全之自治團體 (1)該縣自治局已可掃除積弊者 (2)過半數人民能了解三民主義而歸順民國者 (3)六項地方自治等等事項能達到所約法所定之最低程度者
後期 組織中央政府	1.全國平定後六年，已達完全自治之縣，得選代表組織國民大會，制定五權憲法 2.略述總統、國民大會、五院產生方式及職權 3.全國大小官吏皆由考試院定其資格 4.制定憲法並產生總統議員後，革命政府歸政於民選總統，訓政時期告終

資料來源：作者整理自〈中國革命史〉。

說明：六項地方自治事項是指人口清查，戶籍釐定，警察、衛生、教育、道路。

權力部署則同時具有「破壞／建設」的雙元性，如同他的一次革命論，孫中山期望「從事革命者，於破壞敵人勢力之外，不能不同時注意於國民建設能力之養成」，要將「身體政治」和「生命政治」同時畢其功於建國三程序當中。

辛亥革命之後的民初政局，並未朝向孫中山理想中的總統制去發展，由宋教仁主導的議會內閣制和政黨政治，如果能帶

領中國直接跳躍至憲政民主國家的坦途，孫中山應該會有成
「仁」之美的胸襟與氣度。但其後的歷史發展卻是「本國人打
本國人，全國長年相爭相打」都是爲了想當皇帝。因此在〈中
國革命史〉中，孫中山列舉了軍政、訓政和憲政時期應辦理的
事項及理由之外，更詳盡分析了自辛亥之役、討袁之役、護法
之役以來十二年間因袁世凱毀壞臨時約法、軍閥割據、國會亂
象……這些「政客之播弄，與軍人之橫行」都是革命方略位能
實施所產生的種種禍患，致使他南下組成軍政府，堅持以革命
方略爲藍圖，繼續完成未竟之事業；最後，他也提出了當時可
能的解決方法：化兵爲工、立縣自治[4]。顯然孫中山是一個
「策略分析家」和「目標管理者」，反而不是獨裁者。趕走滿
清帝制，進行訓政獨裁，這並非孫中山的本意，他以爲「中國
非民主不可」，念茲在茲的是儘速「縮短國內戰爭」，認爲
「民主專制必不可行，必立憲然後可以圖治」（〈中國革命
史〉），須按照革命方略進行（預期的）政治社會化，如此
「不但專制餘毒，滌除淨盡，國民權利，完全確實，而國民建
設之能力，亦必穩健而無虞」，才能在最短時間內將「革命政
府歸政於民選總統」，完成整個「革命時期」所設定的目標和
理想。

---

[4] 孫中山在〈中國革命史〉的結論是：中華革命之經過，其艱難頓挫如
此。據現在以策將來，可得一結論曰：非行化兵爲工之策，不能解目
前之紛糾；非行以縣爲自治單位之策，不能奠民國於苞桑，願我國人
一念斯言。

、傅柯的身體與生命政治

一、傅柯的權力系譜

　　傳統的政治分析往往假定，在國家和個體之間存在一種競爭關係；認為國家會向個體施加權力或者個體會向國家施加權力。在這種假定下，陳培永（2017：12-14）認為權力的政治特性是：1.權力總是以特定機構為代表，有特定的中心，如君主、國家、政府、政黨等；2.權力是一種可以佔有的物，可以獲得、抓住、占有的實體物，或者可以擁有的能力、力量，可以享有的權利資源；3.權力的本質是實行禁止和拒絕，是對自然、本能、個人、階級的壓制，產生一系列像排除、拒斥、阻礙、掩藏、壓迫、奴役等否定性效果；4.權力總是與法律、合法性問題連繫在一起。但 Fendler 認為傅柯的權力分析包括了比君主權力更多的形式。他要求我們意識到，我們與世界的每次互動都是一種針對其自身權力的權力踐行。（Fendler, 2009/2017: 156）也就是說，傅柯將傳統政治分析存而不論的「身體」中介元素，重新帶入「權力」的括弧內去思考，產生傅柯式特有的身體政治的權力系譜論述。

　　Smart（1985/1998: 140-141）認為傅柯對權力提出三個問題：1.權力如何被運作？ 2.權力運作的效果為何？ 3.權力是什

麼，由什麼地方產生？簡言之，權力並不被看成是一個統治階級、國家或當權者才有的特質，而是被看成是一種策略；2.隨權力而來的宰治效果並不是因為主體受到剝削，而是因為「操練、策略、技術、各種功能」，權力關係並非是加諸無權力者義務或禁制，而是對他們的投資。因此傅柯不把權力視為制度或結構，而是一種複雜的策略情境，一種多樣性的力量關係。

必須特別指出的是傅柯對權力部署的全部形式是漸次完成的（參見表 5-2），對於權力的論述並未有專門著述，前期主要見於《規訓與懲罰》，後期對於生命政治和生命權力的陳述主要由《性經驗史》第一卷開始，以及散見於《必須保衛社會》（1975-1976）、《安全、領土與人口》（1977-1978）、《生命政治的誕生》（1978-1979）……等著作。在 1982 年的〈主體與權力〉（The Subject and Power）一文中他說道：

> 國家並不只是一種權力運作的形式或特殊情境而已……所有的權力關係形式都必須以某種特定途徑交付給它……這並不是因為它們都來自國家……而是因為愈來愈多的權力關係納入到國家的控制之下（只是這種控制……在教育、司法、經濟或家族體系中，並沒有都採取相同的形式）……那也就是說，權力關係的建構、理性化和集中化都是在國家制度的形式下，或保護下。（Foucault, 1982: 224）

權力系譜的轉向，並非表示前後斷裂或退卻，反而是重疊的、相互依賴與相互鞏固的，「這兩個系列：肉體系列－人體－懲戒－機關；人口系列－生物學過程－調節－國家，……不處於同一層面，一個是懲戒，一個是調節，正是這樣才使得它們不會相互排斥並可以連接起來。」（Foucault, 1997/2010: 191）他說道：

> 這一生命權力無疑是資本主義發展的一個必不可少的要素。如果不把肉體有控制地納入生產機器中，如果不對經濟過程中的人口現象進行調整，那麼資本主義的發展就得不到保證。（Foucault, 1976/2016: 118）

因此「生命進入了歷史（人類生命現象進入了知識和權力的秩序之中），進入了政治技術的領域」這種權力的演化轉變正是傅柯在回應「現代性」（民族主義、國家理性、資本主義）所做的深刻考掘。

二、傅柯的權力部署

在《規訓與懲罰》中，傅柯由邊沁（Bentham）的全景敞視（panopticon）監獄得到靈感，他所分析的對象：監獄、學校、醫院、工廠——這些所謂的邊緣組織，在空間的安排上都有些相同的特徵：這些職能場所的規則把建築依據用途、功能

等單元定位或分割原則予以分類區分。這是一種功能性的隔離
技術，目的在方便進行層級監視，也在確定如何安置人員，以
便每時每刻監督每個人的表現，給予評估和裁決，計算其功
過。所有的活動，甚至是肉體的行為、姿勢、力量都按照既
定的時間表進行，時間表是被分段切割和整合的一序列時
間，用以規定節奏、安排活動和調節重複週期，使身體的任
何部位都不會閒置或無用，身體的生產利用方式重新被形
塑，生產關係被重新定義。至此，一切的一切，隔間和形
式、時間表和姿勢符碼、身體磨練和隊形……都聚合在一起
為了創造出「柔順的身體」。（ Merquior, 1985/1998:
120–121）傅柯說道：

> 工廠、學校、軍隊都服從於關於時間（遲到、缺席、
> 中斷）、活動（心不在焉、疏忽、缺乏熱情）、行為
> （失禮、不服從）、言語（聊天、傲慢）、肉體
> （「不正確」的姿勢、不規範的體態、不整潔）、性
> （不道德、不莊重）的一整套微觀刑罰。（Foucault,
> 1972/1992: 178）

　　甚至所有的「時間–空間–行動（活動）」都被相互嵌合
進入「表格」（文件或紀錄）中。表格既是一種權力技術，又
是一種知識規則，將複雜的事務賦予秩序。時間、空間、態
度、行為……等都在表格中被階層式的監視與評價，「人」變

成一種可被書寫的個案紀錄，表格的優點在於可被計算、統計
與分析，形成一種權力知識的標準，據以裁決與懲罰。

在這種具有「監獄網路」成份性質的社會裡，馴服著一個
個不被規訓的身體以符合教化的紀律。於是，一個被社會建構
意義下的「人／身體」產生了：

> 從總體上，人們可以說是一個規訓社會在這種運動情
> 形下形成了。這是一個從封閉的規訓、某種社會「隔
> 離區」擴展到一種無限普遍化的「全景敞視」機制的
> 運動。其原因不在於權力的規訓軌道被其他軌道所取
> 代，而在於它滲透到其他軌道中，……尤其是權力的
> 效應能夠抵達最細小、最偏僻的因素。它確保了權力
> 關係細緻入微的散布。（Foucault, 1972/1992: 215）

《規訓與懲罰》的副標題為「現代監獄的誕生」，傅柯帶
給我們的是永無止境的想像，「規訓既不會等同於一種體制也
不會等同於一種機構。它是一種權力類型，一種行使權力的軌
道。包括一系列手段、技巧、程序、應用層次、目標。」
（Foucault, 1972/1992: 214）這就是傅柯要告訴我們的是「權
力是一種社會關係中無所不在的互動性的開放策略」，經由
權力的自我再製生產特性，權力－知識互為產製對方的原因與
結果，權力展現出來的是一種社會關係，權力會自我生產複製
到物理邊界的極限，直到它無法被人所感知，這是一種權力的

「無形化」與「社會化」，重點不在「誰」行使了權力，或
「誰」又被權力支配與控制 [5]。

表 5-3　傅柯身體與生命政治的理論系譜

		文本	主要相關概念
統治 ↓ ↓ ↓ ↓ ↓ ↓ 治理	身體政治 ↓ ↓ ↓ 生命政治	《瘋癲與文明》 （1961）	開始提出權力問題
		《規訓與懲罰》 （1975）	權力在身體（肉體）上的作用，並提出現代監獄的產生
		《性經驗史（I）》 （1975）	提出死亡權力和生命權力
		《必須保衛社會》 （1975–1976）	提出國家的死亡權力，連結到種族主義、戰爭與屠殺面向
		《安全、領土與人口》 （1977–1978）	提出安全配置、牧領制度、國家理性
		《生命政治的誕生》 （1978–1979）	提出自由主義／新自由主義的治理

資料來源：作者自行整理。

---

[5] 與傳統的權力迥異，傅柯從不會認為有了權力關係就沒有了自由，也
不會認為有了自由就不再有權力關係。（張旭，2016：154）

從《性經驗史》和後期的文本，傅柯開始將「性」論述連接身體政治和生命政治，「性處於兩條軸線的交叉點上，一切政治技術都是沿著這兩條軸線發展出來的，一方面性屬於身體的規訓，另一方面它屬於人口的調節。」[6]（Foucault, 1976/2016: 121）在這個連結點上，身體被置入整體的生物學過程之中，它試圖控制可能在活著（生存）的大眾中產生的一系列偶然事件，改變其概率，力求達到某種生理常數的穩定（例如出生率和死亡率），實現某種所謂的整體的平衡，產生人口的大眾化效果。

為了完善他的「死（讓人死）／生（讓人活）」論述，傅柯在《必須保衛社會》書中，將國家的「殺人／死亡」權力，從一般人對「死」的直線（觀）思考——「死刑」，導入至「種族主義、戰爭與屠殺」面向，他認為「在國家按照生命權力的模式運轉之後，國家殺人的職能就只能由種族主義來保證」（Foucault, 1997/2010: 195），此時種族主義的功能除了在生物學領域內部建立生物學的類型區分（即劃分種族界線），也在戰爭中通過摧毀敵人的政治和種族來鞏固和再生自己的種族。他曾經以佛朗哥和納粹為例，納粹實際上從 18 世紀以來所建立的最為極致的新權力機制國家，吸納了一系列在西方政治早已存在的政黨、警察機關、各種壓迫技術，並將之

---

[6] 總的來說，在「身體」和「人口」的連接點上，性變成了以管理生命為中心（而不是以死亡威脅為中心）的權力內在中心目標。（Foucault, 1976/2016: 122）

發展至極限，通過生命權力的施展，延伸到社會的每個角落。

　　至此，古典王權的身體政治融入了現代國家的生命權力當中，傅柯要告訴我們的是權力之「無時不在與無所不在」。相對於王權與極權，現代民主國家一樣必須依靠各種身體和生命政治的治理技術，一如葛蘭西（Gramsci）所示：由軍隊、監獄等暴力機構所構成的「政治霸權」，以及由政黨、工會、教會、學校、學術文化團體和各種新聞媒介所構成的「文化霸權」，通過「暴力」（前者）或「教化」（後者）方式來穩固現代資本主義國家的運作；又如阿圖舍（Althusser, 1970/1990: 164-166）所示：公共領域（鎮壓性的國家機器）中的政府、行政機關、軍隊、警察、法庭、監獄等，和私人領域（意識形態的國家機器）中的學校、教會、工會、家庭、報紙、文化事業等，分別通過「暴力鎮壓」（前者）和「意識形態」（後者）來完成階級壓迫的建構。傅柯、葛蘭西、阿圖舍三人分別使用了不同的理論脈絡針對同一個現象進行表述，若據此思考橫山宏章所提出的獨裁論題，已然可知任何涉及眾人之事的系統，必然以身體的／生命的、暴力的／教化的方式，深入到公共領域／私人領域的每個角落，來確保系統本身的維穩運作，只不過孫中山處於非常時期，不可不用非常之破壞來完成非常之建設。

　　雖然傅柯對權力並沒有專門著述，但從《瘋癲與文明》開始，傅柯即已提出權力問題，在《安全、領土與人口》中，他又提出了「牧領權力」的概念，一種從中古基督教產生的靈魂

（心理）引領藝術，補足了除身體之外的「靈魂（心理）」如何過渡到生命政治轉型過程，最後傅柯在《生命政治的誕生》中，提出自由主義／新自由主義的治理，並分析了像德國、美國的新自由主義的國家治理。

就這樣，傅柯逐步建構並完善他從身體／統治到生命／治理的權力考掘，在這些系譜中，民主像是一種「想像」，更像是一種「假象」，民主隱然成為另一種「控制」。

肆、孫中山的身體與生命政治

一、孫中山的權力系譜

孫中山對於「權」、「權力」的認識解讀並未超越傳統政治學的典範；儘管如此，仍有其特殊獨創的主張。不若傅柯所進行的是純粹的知識論上的歷史考掘，孫中山對於「權」的歷史考掘是「致用性的」，他考掘更為久遠的人類史，認為「權的作用，單簡的說，就是要來維持人類的生存」，在太古洪荒時期的自然狀態下，尚未需要「權」，進入文化社會之後始能產生「權」的作用（參見表 5-4）。

表5-4　孫中山的（民）權演化歷程（分期）

第一時期	太古洪荒時期	人同獸爭，所用的是氣力
第二時期	神權時期	人同天爭，用的是神權
第三時期	君權時期	人同人爭，國同國爭，民族與民族爭，用的是君權
第四時期	民權時期	國內相爭，人民同君主相爭，善人同惡人爭，公理同強權爭

資料來源：作者整理自〈民權主義・第一講〉。

　　他所主張的「權」是一種社會關係的呈現，目的在於求生存，所以任何人只要進入此種文明社會關係之後，人人都應該有此「權」[7]，其表現形式有兩種：保與養；保即自衛／政治，養是覓食／經濟。

　　孫中山繼續延伸「權」的內涵，說道：「權就是力量，就是威勢；有行使命令的力量，有制服群倫的力量，就叫做權」（〈民權主義・第一講〉）在此「權」的內涵發展轉變，產生施行的對象，原因在於神權進入君權時期之後保與養的形態改變，在〈中國存亡問題〉中，孫中山說道：

　　論國家之起源，大抵以侵略人之目的，或以避人侵略

---

[7] 「人類要能夠生存，就須有兩件最大的事：第一件是保；第二件是養」。（〈民權主義・第一講〉）

之目的而為結合。其侵略人固為戰爭，即欲避人侵略
亦決不能避去戰爭。戰爭不能以一人行之，故合群；
合群不能無一定之組織，故有首宰；首宰非能一日治
其群眾也，故成為永久之組織而有國家。〈中國存亡
問題〉

「制服群倫、行使命令」都是在「戰爭→合群→組織→首
宰→國家」的社會形態變遷中逐漸產生，個人求生存變成集體
（組織）求生存，因此「權」也由個人所有衍生出集體（組
織）所有。在五權憲法和萬能政府的相關主張中，此種個人權
被稱為人民權，此種集體（組織）權，被稱為政府權，再被劃
分為中央與地方的垂直分權，和中央政府的水平分權（行政、
立法、司法、考試、監察權）。

　　孫中山的權力系譜是在革命的前提下產生，他不認同天賦
人權的說法，認為基於歷史和事實，民權是歷史的產物[8]，非
天然所有，人類進入到神權君權時期，已非洪荒時期，所以主
張「革命民權」，其目的是從「君主專制→革命政府」的破
壞，到「革命政府→人民政府」的建設，在「政治方面，由專
制制度過渡於民權制度」（〈中國國民黨第一次全國代表大會
宣言〉）。

---

[8] 民權不是天生出來的，是時勢和潮流所造就出來的。故推到進化的歷
　　史上，並沒有盧梭所說的那種民權事實…。（〈民權主義・第一
　　講〉）

他所主張的「權」還是一種能力與資格。「能力」主要是指在地方自治時訓練人民行使四權，使之成為「完全之國民」[9]；「資格」是指獲取權力的身分，在〈中國國民黨第一次全國代表大會宣言〉中，孫中山特別強調「蓋民國之民權，唯民國之國民乃能享之，必不輕授此權於反對民國之人，使得借以破壞民國。」欲將「臣民」轉換為「國民」以為「民」與「國」相符。這種對國家／憲法保有忠誠義務，陶鑄現代公民意識與智能的政治社會化是每一個國家都會實行，以維持政治系統的穩定，若以「愚民論」或「訓政保母論」予以苛責，也失公允。

二、孫中山的權力部署

身體與精神，是傅柯身體政治的核心。孫中山在〈中國革命史〉曾提到「專制時代，人民之精神與身體，皆受桎梏，而不能解放。」因此解放個人的精神與身體，不妨可視為孫中山民權革命的起點，也是身體政治與生命政治的起點。不同於傅柯從身體政治接合到生命政治，孫中山一開始就把身體政治置於生命政治——國家民族的安全保障之下，具有國家社會主義集體保障的立場。

---

[9] 人民有縣自治以為憑藉，則進而參與國事，可以綽綽然有餘裕。與分子構成團體之學理，乃不相違；苟不如是，則人民失其參與國事之根據，無怪國事操縱於武人及官僚之手。（〈中國革命史〉）

經世致用：

孫中山思想中的時變與不變

　　在早期的文本中，如〈致鄭藻如書〉（民前 22 年）、〈農功〉（民前 21 年）、〈上李鴻章書〉（民前 18 年）到〈刱立農學會徵求同志書〉（民前 17 年），前後一貫的精神是：「舉士（人盡其才）」、「興農（地盡其利）」、「重工（物盡其用）」、「利商（貨暢其流）」。這些對不同類別的職業身分的人（肉體），在空間、功能進行更精確的計算、利用以求效能極大化的思想，除具有身體政治的內涵外，更是要追求國強民富，人民生活幸福的生命政治理想。

　　孫中山的《民族主義》從第一講到第二講，大聲疾呼人口、政治、經濟的「三大壓迫」，說道：「我們同時受這三種力的壓迫，如果再沒有辦法，無論中國領土是怎麼樣大，人口是怎麼樣多，百年之後，一定是要亡國滅種的。」（《民族主義・第二講》）這個對人口數量減少的深刻憂心，正是傅柯由「性」過渡到生命政治的起點。他並非沒有對個人的身體進行實質的控制改造，早在同盟會時期就已經主張的剪髮辮、廢纏足、改服飾、禁刑訊、改稱呼、廢跪拜、解放賤民、禁止人口買賣……，進而在南京臨時政府時期頒布一系列政令 [10]，企圖解放封建霸權的身體。希望將千百年來延展於時空場域內，不

---

[10] 例如 1912 年 3 月 2 日《臨時大總統關於革除前清官廳稱呼致內務部令》，取消大人、老爺稱呼；同日頒布《大總統令內務部禁止買賣人口文》禁止買賣人口；3 月 5 日頒布《大總統令內務部曉示人民一律剪辮文》，限二十日內一律剪除淨盡，不遵守者以違法論；3 月 6 日的《大總統令內務部通飭禁煙文》，禁止吸食鴉片；3 月 11 日通飭各省勸禁纏足。

斷自我維持、世代遞迴複製的各種封建社會裡的敎化霸權徹底轉變，在改變個人身體之餘，也同時打造一個現代化的國族身體。（閔宇經，2016：109）

更多時候，孫中山是將身體政治納入在生命政治的範疇裡去思考的，〈中國革命史〉是具體而微的身體與生命政治部署藍圖，其後在《建國方略》（建立中華民國的一個架構性規劃）中，以心理建設的《孫文學說》倡議知難行易，以社會建設的《民權初步》培養現代公民議事能力，而以經濟建設的《實業計畫》作爲人員（才）、資金（本）、設備、財貨（礦產）在「空間上」安置或流動的規劃，並以《建國大綱》進行「時間（期程）」上的調控，因此所有的「時間－空間－行動（活動）」都被相互嵌合進入「文件（規劃）」中。

傅柯的身體政治側重在「控制」，孫中山身體政治則側重在「改造」，他的身體和生命政治涉及兩個核心：國家機器的翻新，人民身體（心理）的改造。這種社會設計（social design）是面對複雜的社會變遷議題，發展解決問題方案的流程與各種操作模式，試做（驗）、評估與修正解決方案，提出可執行、且具有社會創新意涵的解決社會問題的具體作法，以此觀點而論，孫中山不僅爲「策略分析家」和「目標管理者」，他更是國族身體改造的總工程師。（閔宇經，2016：119）

孫中山思想中的時變與不變

表5-5　孫中山身體與生命政治的理論系譜

		重要文本	主要相關概念
早期的〈上李鴻章書〉……等			舉士（人盡其才）、興農（地盡其利）、重工（物盡其用）、利商（貨暢其流）
軍政 ↓ ↓ ↓ ↓ ↓ 憲政	身體政治 ＋ 生命政治	《孫文學說》（心理建設）（1919）	破除傳統思想，倡議知難行易
		《民權初步》（社會建設）（1917）	教導人民行使民權的第一部方法，培養議事、集會、結社之能力
		《實業計畫》（經濟建設）（1920）	引用外資外才同時解決中國和世界在二次戰後之問題
		〈建國大綱〉（1924）	將整個國家的建設區分軍政、訓政、憲政時期，並訂出不同時期的目標與執行策略

資料來源：作者自行整理。

伍、結論

　　在權力系譜方面，孫中山與傅柯同樣地對歷史進行考掘；所不同的是，傅柯將「身體」的帶進括弧內進行知識論上的思考，發現潛藏在懲罰歷史背後永久一致的「權力」，做為一種

教化與馴服個人身體與心靈的社會部署，他要告訴我們的是，現代社會就是權力無所不在的牢籠。孫中山關心的則是歷史過程的啓發，從旣往的歷史教訓中找到實踐論上的動力，他要證成的反而是「權力」無法深入人心所造成的民初亂象，致使孫中山以更大的決心要完成建國方略的種種設計。孫中山與傅柯，兩人相隔 50 年的缺席對話，傅柯將傳統政治領域的權力分析帶入全新的典範思考，創造權力的社會分析格局，以恪盡知識份子的天職。而孫中山基於革命前提所進行的權力論述，更多時後他表現出的是「策略分析家」和「目標管理者」風采。

在權力部署方面，傅柯漸次完成了從身體到生命政治的「死（讓人死）／生（讓人活）」雙元建構，將權力的性質從以往的王權統治轉換到現代的國家治理；孫中山則一開始就同時從身體和生命政治角度去佈署他的「破壞／建設」雙元建構，從軍政轉換到訓政和憲政，以期與諸民族並驅於世界，馴致於大同。

傅柯轉換了「生產方式和社會型態」的分析典範，從資本邏輯的批判轉向權力邏輯的批判，如同葛蘭西（Gramsci）逆轉了馬克思思想，將「意識形態的上層建築優先於下層建築」（Bobbio, 1979: 21），意外地讓馬克思主義在當代社會理論中的「模因（meme）」（類似作爲生物遺傳單位的基因，爲文化的遺傳單位）不致斷絕，更豐富了西方馬克思主義流派的內

119

涵。本章則嘗試將孫中山思想帶入傅柯身體與生命政治的典範中進行思考，經過相互對話、類比傅柯的權力系譜與權力部署，重新檢視孫中山思想，並賦予時代新意。

第六章

階級互助的問責倡議[*]

*本章原名〈孫中山的社會正義思想：階級正義的道德倡議〉，初稿曾於 2017.11.11–12「2017 年紀念孫中山：公平正義與社會發展」國際學術研討會（台北，國父紀念館）宣讀並經評論人評論，今部分內容在全書脈絡下增刪改寫。

社會國家者，互助之體也，道德仁義者，互助之用也

孫中山

、前言

古典「正義」的內涵，通常指的是分配正義、交換正義、懲罰（法律）正義，而近代「社會正義」更多時候指的是基本自由權利的保障、社會（經濟）權的維護保障、公平的機會平等……等等。

「社會正義」一詞興起於 19 世紀，出現在密爾（Mill）等英國自由主義者文字中，旨在對主要的政治、社會和經濟制度進行規範（陳宜中，2016：21）。索爾（Sowell, 2014/2009: 159）表明：「社會正義」這個詞，人們起碼使用了一百年，至今卻仍無確切定義。其實，沒有一種「正義」與「社會」無關……。人們替「正義」冠上了「社會」二字，或許是想強調群體間的正義比個人間的正義更重要。因此正義的命題必須在群體中去判斷才有意義，正如同孫中山的思想，大多強調的是個體與群體之間利益的調和。

正義（justice）涉及對「公平、平等」的「判斷操作」，因此常與公平（equity）、平等（equality）在概念上相互混淆，進而增添討論上的困難。英文 equality 為「均等、平等」

之意，equity 為「平衡、公平」之意。據《教育大辭書》[1] 解釋，公平（equity）是指彈性的或平衡性的平等（equality），也就是「差別地對待差別」，是以在考慮「分配性正義」的問題時也應將這些道德上可以認可的差別因素（如智慧、學業成就或工作能力大小）考慮在內，依照其差別的比例大小，給予差別的對待與處理。

孫中山的社會正義思想不只存在於政治階級當中，而是遍佈於整個孫學思想體系當中，「中國因工業進步之遲緩，故就形式上觀之，尚未流入階級戰爭之中」（《實業計畫·結論》），但仍需防患未然。本章則聚焦於孫中山的階級與流動正義，嘗試借用布爾迪厄[法]的「社會資本」觀點重新理解孫中山「階級正義」的平等思想。

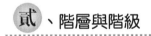、階層與階級

一、資本與社會階層

社會階層化（social stratification）是指一個社會存在一些不平等的團體，它是一種比較定型化的結構或較穩定的結構，而且這種結構會在代間傳續下去。如果這些不平等團體共有類

---

[1] 國家教育研究院雙語詞彙、學術名詞暨辭書資訊網，http://terms.naer.edu.tw/detail/1302761/?index=2。

似的經濟關係資源，稱之為階級（class），因此就定義範疇而論，社會階級只是社會階層的一種形式而已。（王振寰、瞿海源，1999：161-162）社會階級（class）是指人類社會中的「身分」或「職業」屬性具有地位等級高低排列的現象。

社會階層化常是造成社會不平等（social inequality）的重要原因，因為社會稀少性資源，例如財富、聲望、權力……等長時間的不均等的被分配在某些固定的等級上，形成穩定的結構，甚且世代相襲。不管是功能論者（以韋伯[Weber]為代表）或衝突論者（以馬克思[Marx]為代表）均承認階層化是普世現象。

馬克思（Marx）的階級分類主要是以生產工具的所有權來界定，劃分為資產階級和無產階級，並進而探討其生產關係；韋伯（Weber）以階級（經濟權力／財富）、地位（社會權力／聲望）和政黨（政治權力／權力）三個面向開展對階層的討論，其後的學者對社會階級的描述或論證皆無法逃出馬克思和韋伯的論述框架。

孫中山如何看待階級產生的因素？他在《民權主義》中，說明歐洲戰前的「公、侯、伯、子、男」政治地位階級是由世襲制度所產生。另說到：「古時候雖然有過貧富階級的分別，但是沒有今日的厲害。今日貧富懸殊，不可方物，正所謂富者敵國，貧無立錐之地。〈三民主義之具體方法〉」、「得有土地及資本之優勢者，悉成暴富，……由是富者愈富，貧者愈貧，則貧富之階級日分〈三民主義手書原稿〉」。由是觀之，

125

孫中山亦如同韋伯一樣，認為（政治）權力、（經濟）財富，及聲望（綜合因素）產生了社會階級。

但是，布爾迪厄（Bourdieu）[法] 則另闢蹊徑，指出四種資本的結構和總量決定社會階級的空間位置[2]（參見【附錄：工業社會中階級與次團體的資本結構】），他「看見」了以「資本」的概念將社會階層連接社會階級論述的方法。他所說的四種資本分別是（邱天助，2002：130-132；高宣揚，2002）：

1.經濟資本：

　　由(1)不同的生產要素（土地、工廠、工作）；及(2)經濟財貨總體（收入、遺產、物質財貨）所構成，布爾迪厄認為所有的財貨都可直接變換成金錢。

2.文化資本：

　　知識能力資格總體，由學校系統生產或由家庭傳承下來。包括(1)內化形式像是舉止風範（例如從容不迫的自信態度）、操作技能等；(2)客觀形式像是文化財貨（例如圖書、名畫、古董等）；(3)制度化的形式且經由制度性社會所認可（例如學歷或證照）。

---

[2] 布爾迪厄（Bourdieu）把階級劃分為統治階級、中層階級和下層階級，每個階級中又有統治團體、中間團體和被統治團體三個高低排列的次團體。（參見本章附錄）

3.社會資本：

個人或團體所擁有的社會關係總體。具有(1)累積性；(2)製造酬賞獲利的能力；(3)可改變成實際的資源形式的資本；(4)再生產的能力（周新富，2005：46）。

4.象徵資本：

涉及名望及認可的一套規則。它是對擁有其他三種資本的認可所帶來的信用或權威。是看不見、被知覺的、舉凡個人的魅力、聲望、社會地位、權威和信譽，與日常生活的言行舉止等皆可視為行動者的象徵資本（周新富，2005：48）。

布爾迪厄（Bourdieu）概念的優越之處在於他將造成階層化的許多隱形因素（軟實力）凸顯出來，讓我們更能夠動態地具體想像資本累積、轉移、繼承的現象。但他的概念中缺少「時間」和「（生命）健康」的概念，時間對以上四種資本可以產生累積效應，也可能產生滅失或減損的效果。例如孫中山在就曾提到過一個例子：澳洲有個醉漢當初以三百元拍定荒蕪之地，相隔十多年後，那塊地價值增加，這個醉漢便變成為澳洲第一個富翁《民生主義・第二講》。經由這個例子的啟發，可以將「時間資本」補充進入布爾迪厄的資本概念，亦即：

5.時間資本：

(1)生命時間，因健康而產生的壽命長短，是自然時間；(2)資本時間，因交換或購買而增加或縮短的時間，例如以機器生產時間縮短。

127

因而從布爾迪厄的四種資本加上時間資本，可新稱為「階級資本」，將決定社會階級位置的資本總量，以公式 6-1 表示。

$$階級資本總量 = \Sigma\,(經濟資本 \pm 文化資本 \pm 社會資本 \pm 象徵資本 \pm 時間資本)$$

公式 6-1：決定社會階層位置的資本總量公式

二、社會階級與不平等

在平等的論述上，三民主義的一貫道理就是打不平等以求平等。在民族主義方面是從（國族）集體的視角區分出「侵略帝國、殖民地、次（半）殖民地」三種等級；民權主義方面是從集體的視角出發，舉「公、侯、伯、子、男」及「聖、賢、才、智、平、庸、愚、劣」來說明不平等、假平等、及真平等；民生主義方面，中國目前僅有大貧小貧問題，但為防患未然需注意土地及資本問題。

自然界中的物種賴以生存的憑藉是「氣力」，如同孫中山曾經說過：人同獸爭，不是用權，是用氣力，而人類進入文化社會之後，變成善人同惡人爭，公理同強權爭，賴以生存的憑藉卻是「權」。權和力實在是相同，用以行使命令和制服群倫，也用以求生存的「保」和「養」。那麼資本主義的現代社會勢必也是對於各種「資本」的利用與實踐。

　　　　賽爾（Sayer）（2005/2008：127–132）說道：布爾迪厄的

主要貢獻在於對象徵支配的分析，而不是對經濟不平等與剝削的分析，這一點他著墨較少。賽爾進一步認爲資本主義需要讓生產資料的私有權集中在少數人手上，並且讓大多數人成爲雇佣勞動者，除非廢除資本主義，才能消滅這些歧視與支配。

馬克思雖然看到了階級不平等的剝削狀況，他認爲只要把生產工具完全公有化，即可消除資本主義的弊端，但他落入經濟（資本）決定論且忽略其他資本的作用，也過度簡化人類道德情感因素。

如此說來，韋伯對於科層理性的分析，固定的職務分配和嚴格的分工制度、職員地位依照等級劃分、按法規行事避免私人情感……等特徵，無可避免地顯示出資本主義與科層階級密不可分的現代社會，將是權力與資本不平等的階層社會。

孫中山則承認人類天生的不平等事實，他曾以桌上的槐花爲例[3]，說明「自然界既沒有平等，人類又怎麼有平等呢？」他區分了「不平等」、「假平等」與「眞平等」。

---

[3] 就眼前而論，拿桌上這一瓶的花來看，此刻我手內所拿的這枝花是槐花，大概看起來，以爲每片葉子都是相同，每朵花也是相同，但是過細考察起來，或用顯微鏡試驗起來，沒有那兩片葉子完全是相同的，也沒有那兩朵花完全是相同的。就是一株槐樹的幾千萬片葉中，也沒有完全相同的。《民權主義・第三講》

經世致用：

孫中山思想中的時變與不變

不平等	(1)天生的不平等：自然界沒有平等，人類也沒見過天賦的平等，如人生而有聖、賢、才、智、平、庸、愚、劣之分。
	(2)人為的不平等：專制帝王造成的，即帝、王、公、侯、伯、子、男階級制度。
假平等	(1)產生於打破人為的不平等，而又忽略天生的不平等。
	(2)所謂假平等，就是不分聖、賢、才、智、平、庸、愚、劣，一律求其平等，亦即平頭的平等。
真平等	是立足點的平等，即讓各人站在同一水平線上，根據各自天賦的聰明才力充分的去發展造就。由於憑藉發展造就的機會完全相同，所以是真平等。

資料來源：http://sun.yatsen.gov.tw/content.php?cid=S01_03_03_02。

孫中山以政治階級為例，在《民權主義》中的論述邏輯是：

1. 自然界沒有相同（平等），人類天生也不會相同（平等）。
2. 帝王專制造成後天的不平等，比天生的不平等更為不平等。
3. 創立天賦人權平等學自由學說，打破君主專制。
4. 推倒專制帝王後，又深信人人天生平等學說，便日日去做工夫，成為假平等。

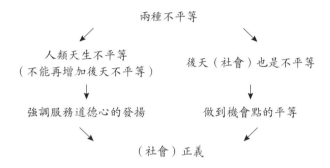

孫中山很務實地告訴群眾，就算打破人為的不平等，人類
天生仍然還是不平等，妄想用人為的方式讓天生平等，也是一
種假平等。[4] 因此他所主張的（社會）正義，如果用索爾
（Sowell）的詞語來說，社會正義的體現是將天道正義中的機
會，給予每個人公平的對待，是為機會的平等。

學界大抵從不平等、假平等、真平等……等框架去思考社
會正義，其實孫中山的階級正義思想中還涉及「地位的（不）
一致性」的概念。所謂的「地位的（不）一致性」是指轉換不
同的地位時如果可以保有相同的地位等級，稱為「地位的一致
性」，反之則為「地位的不一致性」。

由於現代社會的個人具有「多重地位」，因此孫中山關心

---

[4] 專制帝王推倒以後，民眾又深信人人是天生平等的這一說，便日日去
做工夫，想達到人人的平等。殊不知這種事是不可能的。到了近來科
學昌明，人類大覺悟了，才知道沒有天賦平等的道理。假若照民眾相
信的那一說去做，縱使不顧真理，勉強做成功，也是一種假平等。
《民權主義‧第三講》

的是天賦地位（ ascribed status）不能干擾其他成就地位
（ achieved status）的利用與實踐，他說道：「聰明才力之
人，專用彼之才能去奪取人家之利益，漸而積成專制之階級，
生出政治上之不平等。」《民權主義・第三講》若以布爾迪厄
的概念申言之，當原先的天賦地位所具有的資本總量能爲轉換
其他成就地位的優勢時，這是一種「地位的一致性」的不平
等。

參、分工與互助

一、克魯泡特金的《互助論》

克魯泡特金 [俄]（ Kropotkin, 1842–1921）《互助論》（
Mutual Aid）成書於 1902 年（光緒 28 年，民前 10 年，孫三
十七歲），意在駁斥達爾文、赫胥黎的思想，他要論證的是互
助也是自然法則之一，互助也是進化原因之一。克魯泡特金考
察了動物中的互助（同類互助與異類互助）、蒙昧人的互助、
野蠻人的互助、中世紀都市的互助和現代人的互助，認爲：

社會的基礎既不是建築在愛上，又不是建築在同情
上，乃是建築在人道上－建設在人類休戚相關的良知
上－建設在一種不知不覺間發現的感情上，使得各人

實行互助而不自知－建設在個人幸福與眾人幸福密切
相關的情感上－建設在廣泛的正義與公平的觀念上。
這種觀念得使各個人認定別人的權益與自己的權益完
全相等（Kropotkin, 1914/1971: xxiii）。

克魯泡特金的結論是：就物種而言，之所以很繁榮興盛，
能向前進步係導因於個體之間的競爭可以減至最低程度，而且
彼此實施互助以達到最大之發展；就人類而言，人們倫理進
步，主要原因是互助而非互鬥（陳麗華，1985：399）。

孫中山受到達爾文進化論的影響是無庸置疑的，他在〈自
傳〉曾說道：於西學則雅癖達文之道（Darwinism）。但他也
受到克魯泡特金《互助論》的影響，在《實業計畫‧結論》中
曾提及：「後達文而起之哲學家，所發明人類進化之主動力，
在於互助，不在於競爭，……」

達爾文之主張，謂世界僅有強權而無公理，後起學者
隨聲附和，絕對以強權為世界唯一之真理。我人訴諸
良知，自覺未敢贊同，誠以強權雖合於天演之進化，
而公理實難泯於天賦之良知。故天演淘汰為野蠻物質
之進化，公理良知實道德文明之進化也。〈社會主義
之派別及方法〉

夫進化者，自然之道也；而物競天擇，適者生存，不

> 適者淘汰，此物種進化之原則也。此種原則，人類自
> 石器時代以來，已能用之以改良物種，如化野草為五
> 穀，化野獸為家畜，以利用厚生者是也。《孫文學說
> ・第四章》

孫中山嘗謂：「而人類之進化，……。此期之進化原則，則與物種之進化原則不同，物種以競爭為原則，人類則以互助為原則。社會國家者，互助之體也，道德仁義者，互助之用也。」（《孫文學說・第四章》）

孫中山平等理論所追求的目標，是一個真平等（立足點平等）的社會和道德的社會，進而在這基礎上追求更高層次的目標，就是中國國際地位之平等，包括民族、政治和經濟三大平等（林賢治，2001：273）。

另外，像是在民族主義方面，「聯合世界上以平等待我之民族……」，實業計畫中引進外資外才，解決歐戰之後的西方問題，亦能開發中國富源，都可以看到孫中山互助進步的思想。

二、涂爾幹的《社會分工論》

涂爾幹[法]（Durkheim, 1858-1917）《社會分工論》，成書於 1893 年（光緒 19 年，民前 19 年，孫二十八歲），孫中山雖然沒有看過涂爾幹的著作，目前也無從得知克魯泡特金

是否受到涂爾幹的影響，但《互助論》與《社會分工論》在思想命題上竟有高度的相似性。

分工與互助是一體兩面，《社會分工論》深刻揭示了分工形成的社會根源和分工特有的社會功能，道德的主要作用在於把個人變成社會整體的整合因素，個人成為一種道德的存在，道德是由群體團結所構成的。總而言之，分工不僅變成了社會團結的主要泉源，同時也變成了道德秩序的基礎。

涂爾幹認為在社會分工的過程中，「正因為分工需要一種秩序、和諧以及社會團結（渠東，2013：26-27）。」所以分工必然具有一種倫理道德屬性，涂爾幹看到的是聯繫關係轉變，這種結構的改變必然析出「規範」[5]以維持適應。所謂「分離」與「保持某種交往關係」代表著個體與群體的關係，因此個體面對群體的內化關係為道德，而其群體關係為倫理，道德、倫理與法律都是互動規範，出於分工之必然。

「何謂分工？社會上之事業，非一人所能獨任，如農業，如工業，如商業等，在乎吾人自審所長，各執其業，此之謂分

---

[5] 正確來說應該是指「法律」。孫中興（2008：35）徵引涂爾幹「本書主要企圖以實證科學的方法來研究道德生活的事實」這段話，並且認為：「涂爾幹其實並不是對『社會分工』本身有興趣。『社會分工』只是社會轉型[從他所謂的『機械連帶』轉型到『有機連帶』]的外顯指標；他真正有興趣的是指標所代表的那個東西。」也就是「道德」。但涂爾幹認為「由於內在事實是以外在事實為標誌的，所以我們只能借助後者來研究前者。這種看的見的符號就是法律」。（渠東，2013：27）

工。[6]〈軍人精神敎育〉」而分工的優點是勞苦減少，效果增多，如同韋伯科層體制所造成的專業效率。

孫中山依人類天賦才智劃分人類三系（先知先覺、後知後覺、不知不覺），各有其任務使命（發明家、宣傳家、實行家），而且彼此相互爲用（互助），實已有「分工」和「互助」的思想內涵，他說道：

> 我從前發明過一個道理，就是世界人類其得之天賦者約分三種：有先知先覺者，有後知後覺者，有不知不覺者。先知先覺者爲發明家，後知後覺者爲宣傳家，不知不覺者爲實行家。此三種人互相爲用，協力進行，則人類之文明進步必能一日千里。《民權主義・第三講》

三、國家制度的調控

孫中山思想的特色之一即是調和個體與群體的利益，因此個人的資本也必須置於國家之下去衡平，他說：「社會之所以有進化，是由於社會上大多數的經濟利益相調和，不是由於社

---

[6] 孫中山繼續以漂流荒島爲例：「一人之單獨生活，較衆人之共同生活，難易有別。倘同時漂流孤島者，其數能及十人，則舉凡造飯、打魚、摘果、建屋諸事，不必集於一身，可以分功爲之，如此則勞苦減少，而所得效果亦多。」〈軍人精神敎育〉

會上大多數的經濟利益有衝突。社會上大多數的經濟利益相調和，就是爲大多數謀利益，大多數有利益，社會才有進步。《民生主義·第一講》」

從地位一致性來看政治地位不平等問題，常導因於經濟地位不平等，孫中山注意到生產分配過程中極易產生各種「資本」的積累問題，因此在資本和土地問題上謀求解決之道。

由國家扮演生產再分配的調控角色，採取思患預防的立場，增加國家資本限制個人資本，例如，社會與工業之改良，用政府的力量改良工人的教育；保護工人的衛生；改良工廠和機器，以求極安全和極舒服的工作；運輸與交通事業收歸公有，用政府的大力量去辦理那些大事業，然後運輸才是很迅速，交通才是很靈便。運輸迅速，交通靈便，然後各處的原料，才是很容易運到工廠內去用；工廠內製造的出品；直接徵稅，以累進稅率，多徵資本家的所得稅和遺產稅；分配之社會化，不必由商人分配，可以由社會組織團體來分配，或者是由政府來分配。其他具體作法另如民生主義所述。

肆、道德的倡議

孫中山對於「人類三系——先知先覺者、後知後覺者、不知不覺者」的看法，有一點像希臘古哲學家柏拉圖將人按其本性，分爲金質、銀質、銅質，然後在社會中各發展其本性才

華，共同組成一個「理想國」（毛漢光，2015：6）。西方正
義思想的始祖──柏拉圖在《共和國》中說道：

> 社會正義可以定義為一個社會的原則，即各式各樣的
> 人，由於相互的需要而連合起來，而由於他們連合而
> 成為一個社會，以及他們集中是由於其不同任務分工
> 所致，因此結合成為一個完美的整體，其所完美者，
> 乃是因為這是全體人心的產物與表象。

　　亞當‧史密斯（Adam Smith）（1790/2017：129）認為：
「正義是撐起社會建築的主要棟樑。如果它被移走了，則人類
社會這個偉大的結構……一定會在傾刻之間土崩瓦解、化為灰
燼。」Smith 把正義比喻為自然女神賦予人類的「良心」，讓
我們覺得自己有嚴格的義務根據正義的要求行事，並且讓伴隨
著違反正義而來的那種該受懲罰的恐懼，成為人類社會的偉大
保護者，遏阻強梁，以及懲罰有罪者。在史密斯那裡，正義是
一種良心、道德，是自然法的準據，更是人類社會賴以和諧發
展的基礎。

　　要調和三種之人使之平等，則人人當以服務為目的，
　　而不以奪取為目的。聰明才力愈大者，當盡其能力而
　　服千萬人之務，造千萬人之福。聰明才力略小者，當
　　盡其能力以服十百人之務，造十百人之福。所謂巧者

拙之奴，就是這個道理。至於全無聰明才力者，亦當
盡一己之能力，以服一人之務，造一人之福。照這樣
做去，雖天生人之聰明才力有不平等，而人之服務道
德心發達，必可使之成為平等了。這就是平等之精義
《民權主義·第三講》。

　　若以布爾迪厄的概念申言之，孫中山希望越上位者能夠多
利用或實踐社會、文化和象徵資本，從經濟資本（物質財貨）
的累積轉而轉向精神文明的追求，而越下位者在累積財貨資本
之餘也要向上位者學習追求社會、文化和象徵資本，如此經由
時間的推移和資本的循環，一個「資本總量」均富的社會於焉
到來。

　　孫中山也體認到，真正要打破政治階級上的不平等，光
靠宗教的博愛或者慈善事業皆力有未逮，除了制度上的更新
外[7]，也要訴諸道德，倡議「平等的精義」，造成涂爾幹所謂
的「集體意識」。他說道：「天之生人，雖有聰明才力之不平
等，但人心則必欲使之平等，斯為道德上之最高目的，而人類
當努力進行者。」

---

[7] 重於利人者，每每至到犧牲自己，亦樂而為之。此種思想發達，則聰
　　明才力之人，專用彼之才能，以謀他人的幸福，漸而積成博愛之宗
　　教、慈善之事業。惟是宗教之力有所窮，慈善之事有不濟，則不得不
　　為根本之解決，實行革命，推翻專制，主張民權，以平人事之不平
　　了。《民權主義·第三講》

綜而言之，孫中山階級正義的平等思想，其特別之處在於他要形塑一種新的意識形態或集體意識，如此「將來中國之實業，建設於合作的基礎之上。政治與實業皆民主化。每一階級，皆依賴其他階級，而共同生活於互愛的情形之下。〈中國之鐵路計劃與民生主義〉」，一種有別於馬克思的階級意識，是一種互助合作的服務意識，他所希望看到的結果，也不是馬克思的階級鬥爭，而是人類的終極進化，「即孔子所謂『大道之行也，天下為公。』耶穌所謂『爾旨得成，在地若天。』《孫文學說‧第四章》」

伍、結論

在《知識分子與社會》中，索爾（Sowell）認為很多人衡量「人生機會」時，常把「人生是否公平？」和「社會是否公平？」混為一談，事實上第一個問題的答案是人生從來沒有公平過，除了家庭、文化背景之外，人生路途上的種種際遇，都會型塑一個人的價值觀和理想，再加上其他因素，就會產生各式各樣的人生，要奢望這種「天道正義」（cosmic justice）是不可得的。

而探究「社會是否公平？」是關乎社會習俗與制度究竟公不公平，要回答這個問題，不僅不能略個人或群體的自身條件，也得將所謂「影響人生機會的外部因素」考慮進去，同時

更不能把社會視爲全知全能，以爲光靠社會本身，就能讓個人或群體之間的人生機會差異消失，或者以爲實施某些制度，例如提高受教機會、除貧政策就能讓人生機會差異消失。

索爾（Sowell）的一番見解，孫中山早在「人類三系」相關論述時即已提及，在肯認「天道正義」的不公平時（天生的不平等），要打破人爲的不平等，去追求社會正義（機會的平等）。

孫中山雖雅癖達爾文之道，但他對克魯泡特金（Kropotkin）的《互助論》有深刻的認識與理解，在社會進化上是採取分工合作、互助進步的立場，因此「雅癖達爾文之道」的解釋或許應爲「雅癖達爾文相關學說」，他雖然沒閱讀過涂爾幹（Durkheim）的《社會分工論》，但透過該著作確實可相互理解，精進內涵。

孫中山區分了假平等、眞平等、不平等、立足點平等的義涵，並提出調和發明家、宣傳家和實行家的方法，建構了政治階級正義的平等思想，其脈絡雖屬民權主義，但應理解爲融貫於整部三民主義之中。

在階級（階層）的相關理論中，布爾迪厄（Bourdieu）另闢蹊徑，指出四種資本（經濟、文化、社會、象徵資本）的結構和總量決定社會階級的空間位置，本文由孫中山思想的啓發，再補充時間資本，完善了布爾迪厄的主張並以此詮釋理解孫中山階級正義的平等思想。

孫中山體認到，眞正要打破政治階級上的不平等，光靠宗

教的博愛或者慈善事業皆力有未逮。徒善不足以爲政，徒法不
能以自行。除落實在政治、經濟和社會制度上，他要形塑一種
新的意識形態或集體意識，經由服務道德心的發揚，調和社會
利益，促成社會進步、人民富足和國家強盛。

附 表

工業社會中階級與次團體的資本結構

統治階級	所有形式的資本中佔有最多
統治團體	在經濟資本上最富有，可以用其經濟資本購買其他類型的資本。這個團體主要由擁有生產資本的人所組成，也就是老的資產階級。
中間團體	有一些經濟資本，並同時有適中程度以上的社會、文化和象徵資本。這個團體由享有較高信任度的專家所組成。
被統治團體	很少的經濟資本，但有很高的文化和象徵資本，這個團體由知識分子、藝術家、作家和其他在社會中追求有價值的文化資源者所組成。
中層階級	**所有形式的資本中，都享有適中的分量**
統治團體	在此階級中佔有最多的經濟資本，但比統治階級的統治團體少很多。這個團體由小資產階級（小生意所有者）組成。
中間團體	有一些經濟、社會、文化和象徵資本，但比統治階級中的中間團體要相對減少，這個團體由熟練的書記工人組成。
被統治團體	很少或根本沒有經濟資本，但有較高的社會、文化和象徵資本。這個團體由教育者及其他較低收入的文化生產職業者所組成。
下層階級	**所有形式的資本擁有的量最少**
統治團體	在這個普遍的階級中佔有相對較多的經濟資本，由熟練的手工工人組成。
中間團體	更少的經濟和其他類型的資本，由沒有信任度的半熟練工人所組成。
被統治團體	數量非常少的經濟資本，由工人和窮人所組成。

資料來源：Turner, 1982/2001: 193。

附　論

當孫中山看見「全民基本收入制」

　　孫中山在《民生主義・第三講》中曾指出衣、食、住、行「不但是要把這四種需要弄到很便宜，並且要全國的人民都能夠享受。……一定要國家來擔負這種責任。」「全民基本收入制（Universal Basic Income, UBI）」與孫中山對衣食住行的「需要滿足說」並不相符也不相類。

　　由基本收入制全球網絡（Basic Income Earth Network）所定義的 UBI 是：一種定期（例如每月），定額的現金給付，以個人而非家庭為對象，無條件地發給一國所有的合法居民，無需審查有多少資產，亦不強制工作（Parijs & Vanderborght, 2017/2017: 5）。進而言之，UBI 是指沒有條件及資格限制（也不做資格審查），由政府或團體組織，定期發放給每個成員（該國的國民、某地區的居民，或某團體組織的成員）定額金錢（不包括服務），以滿足人民的基本生活條件（包括食物、水、電、居住、教育、醫療等基本花費），藉由經濟的保障，以落實基本人權。

　　UBI 的性質、特徵如下：1.提供一筆在最低程度下在所屬社會可生存的金額。通常是一個月，也可以分次但每次金額相近。2.發放對象是個人（金額相等），而非家庭（戶）。3.不

設定收入條件也不做財力調查，不設定支出條件（例如不限定時間、如何花用），不設定行爲條件或負擔義務（例如接受就業訓練）。

實施 UBI 不是意味著排除其他的現有的政府津貼或社會服務，所以 UBI 並不是社會福利，而係一種顯現社會正義的權利。其財源通常是「人類祖先所創造並維護下來的集體社會財富，或屬於所有人的共同財富及自然資源所衍生的報酬（Standing, 2019/2017: 40）」可以是土地稅、遺產稅、碳稅或其他規畫的稅基。

倡議實施 UBI 的理由是：社會正義、自由、經濟安全感（可預期的收入）。由於資本主義體系具有開放、創新、成長特性，因此可以再製生產出自我調節、療癒的機制，例如當時孫中山採納資本主義的自我調節方式：(一)社會與工業的改良,(二)運輸與交通收歸國有,(三)直接徵稅,(四)分配的社會化，來預防和解決的土地與資本問題。

但是資本主義再運作的結果，「一般人逐漸體認到，當前的經濟與社會政策已導致貧富不均與不公平的嚴重惡化……隨著全球化以驚人速度席捲整個世界，新自由經濟學影響力擴大，以及科技革命促使勞動市場轉型等，20 世紀的所得分配系統已經崩潰（Standing, 2019/2017: 9）」。面對資本主義全球化的新形勢、新積累、新的不平等結構，需要新的分配系統，UBI 所引發的各種層面的深層反思，讓我們再重返問題本質去檢視。

綜上所述，當孫中山遇見「全民基本收入制」，設想提出兩個問題：第一，當時的中國是否有條件（能力）實施全民基本收入制？第二，孫中山是否會反對全民基本收入制？

基本上當時中國大多數人民是大貧與小貧的問題，貧富差距問題相對較不嚴重，所以在民生主義的建設上僅是針對土地和資本問題採取思患預防的策略，實際上，在孫中山接任臨時大總統期間，國庫是處於捉襟見肘的狀態，因此民初的政局是無法實施全民基本收入制的。

UBI 目前僅在若干國家的部分區域或部分特定成員實施過，雖然也在經濟落後國家實驗，但從未曾在一國全國範圍無差別的實施過，因此 UBI 真正的效果未知。當時中國的財政力量、基礎建設不足，無法提供足夠可供購買的食物、水、電、居住、教育、醫療，應無法實施全國性的 UBI，但作為促成經濟地位的平等的 UBI 應可在民生主義的後期階段嘗試規畫。

孫中山的主義是規輔歐美學說而來，臨終時叮囑匡補闕遺，使三民主義成為與時俱進的成長性主義，應不會反對 UBI。

第七章

國家資本的社會設計[*]

---

[*]本章原名〈孫中山的國家資本論：「空間・資本・運輸」的社會設計〉，初稿曾於 2018.05.27「孫中山民生思想的省思」學術研討會（台北：國父紀念館）宣讀並經評論人評論，今部分內容在全書脈絡下增刪改寫。

只要有路，就可以造鐵路

孫中山

、前言

　　1884 年，年僅二十五歲的青年馬克思（Karl Marx）來到巴黎，寫下了《1884 年經濟學哲學手稿》（世人亦多稱為《巴黎手稿》），其中「以異化勞動為核心，以探問人的本質與尋求人的解放為目……從而建立了他後來主要哲學基礎及實踐工作：歷史唯物論、資本論和共產主義。」（洪世謙，2016：26–27）在 6 年後，歷史的場景從泰西轉換到中國，二十五歲的孫中山寫下了〈致鄭藻如陳富強之策書〉（世人亦多稱為〈致鄭藻如書〉、〈策書〉），開啟了建設現代化中國的思想藍圖。

　　嚴格上來說，孫學體系中並沒有對「國家資本論」具體完整的闡述，他的政治經濟學思想主要是以《民生主義》的體系呈現，另散見在其他幾篇重要論著或講演當中。同為政治經濟學的範疇，為矯正資本主義的流弊，馬克思走的是國民經濟學的理路（[個體]資本論），觀照的是「個體」的異化（人與自然、人與社會、人與他人、人與類本質），強調的是階級對立和鬥爭；而孫中山走的是國家經濟的理路（[國家]資本論），觀照的是「國家」的富強，強調的是互助和調和。

　　從思想承繼觀點而言，就算《巴黎手稿》多有散佚，仍展現了青年馬克思融合、批判德國古典哲學、法國社會主義和英國政治經濟學的企圖心，為日後建構資本論奠定堅實的基礎；相較之下，歷史場景不同、社會問題不同、文化模式不同、（社會）科學方法（論）訓練的不同……，〈致鄭藻如書〉當然無法類比《巴黎手稿》的學術深入程度，孫中山以傳統科舉國考的「策論」方式針砭時勢，其「興農桑、禁鴉片、辦教育」三大解方，雖然在當時不算是甚麼石破驚天的言論創舉，然而隨著孫中山留洋考察、規撫歐美學說，愈發淬鍊為具體而完善的國家建設方略。

　　本章試圖從孫中山思想的文本系譜中，梳理出國家資本論（主義）思維，並以《實業計畫》中的鐵路建設為對象，說明《實業計畫》也是開發空間、資本、運輸的國土綜合性社會設計。

貳、國家資本主義的釋疑

　　「國家資本主義」（state capitalism）一詞，由德國社民黨創辦人李卜克內西（Wilhelm Liebknecht）於 1896 年首創，係指由國家掌握和控制的一種資本主義經濟，主張國家扮演資本家的角色發展經濟，由於利益不是私人所享有，更具效率和公平，蔡中民（2015：5）認為其不必然實際擁有生產要素但

可絕對地控制與分配。「國家社會主義」（nation socialism）一般又稱爲納粹主義（nazism），在經濟上係指由國家負責管理生產及分配，防止貧富懸殊，促進社會平等。

一般而言，集產主義重視「生產」面向，社會主義重視「分配」面向，現在全都要由「國家」來扮演此種角色。在民生主義相關文本中，孫中山最常使用「國家社會主義」一詞，而「國家資本主義」只在〈外交上應取的態度〉[1]和《民生主義・第二講》（〈實業計畫，此書已言製造國家資本之大要〉）中出現，「國家產業主義」也只在〈中國革命史〉中出現過一次。究竟孫中山如何理解「國家社會主義」？他說道：

> 本會政綱中，所以採用**國家社會主義**政策，亦即此
> 事。現今德國即用此等政策，國家一切大實業如鐵
> 道、電氣、水道等務皆歸國有，不使一私人獨享其
> 利。〈民生主義與社會革命〉

> 採用民生政策，將以施行**國家社會主義**，保育國民生
> 計，以國家權力，使一國經濟之發達均衡而迅速也。
> 〈國民黨宣言〉

---

[1] 至於今日俄國之新經濟政策，早已變更其共產主義，而採用國家資本主義，並弛私有之禁，其事已逾一年；而國人不察，至今尚指其爲共產主義，爲過激派。（〈外交上應取的態度〉）

> 使大多數人享大幸福，非民生主義不可。但外間對於
> 此問題，頗有疑慮，德國俾士麥反對社會主義，提倡
> **國家社會主義**，十年以來，舉世風靡。〈提倡國家社
> 會主義〉

> 民生主義就是社會主義，……社會主義有集產主義與
> 國家主義兩種：**國家社會主義**云者，國家各種大事業
> 由政府借債經營，如農田水利鐵道電氣及其他可專利
> 的事業概收歸為國營。〈求學在立志救國〉

以上可知，孫中山所謂的「國家社會主義」，乍看之下其
內涵似乎比較接近「國家資本主義」，但在《民生主義・第一
講》中孫中山認為要以政府的力量進行社會與工業之改良、運
輸與交通事業收歸公有、直接徵稅、分配之社會化，以此來看
又有「國家社會主義」的影子，因此孫中山是高度嫁接了「國
家社會主義」與「國家資本主義」，也或者說，「民生主義」
與「國家社會主義」和「國家資本主義」同義[2]。

---

[2] 馮自由曾在《中國日報》發表之〈民生主義與中國政治革命前途〉中
提到：國家民生主義（State Socialism），日人譯作國家社會主義，德
國政府之對內政策純用之，……國家民生主義之要旨，首在勿使關於
公益之權利為一二私人壟斷，而次第干涉之，郵政也、土地也、電線
也、鐵道也、銀行也、輪船也、菸草也、糖酒也，凡一切關於公益之
權利，皆宜歸入國家所有。（轉引自黃克武、潘光哲主編，2015：
135）

一、孫中山辨社會主義派別

白吉爾（1994/2010：398-399）指出了一個問題：早在同盟會時期，孫中山把民生主義視爲社會主義的同義詞，後來又把國家社會主義加入民生主義的綱領中，在《民生主義・第一講》中宣稱「民生主義就是社會主義，又名共產主義」，在《民生主義・第二講》中重申「民生主義就是共產主義，就是社會主義」，這種意識形態的轉向究竟爲何？

進而白吉爾（1994/2010：399）提出解釋：「這種措詞的把戲，無疑有助於暫時撫平統一戰線內的波濤，但這並不意味孫逸仙的經濟和社會觀念已歷經轉型。孫逸仙的 1924 年講演，盈溢著他多年以來反覆思考的理念，並未受到共產黨人的左右。」我們則是再一次看見孫中山因時依勢及變中之不變。

孫中山曾在〈民生主義・第一講〉中提出一個問題：社會主義到底是民生主義中的一部分，或者民生主義是社會主義中的一部分呢？這個問題提出後，一直到民生主義第一講結束，孫中山都沒有回答。但是他在〈社會主義之派別與方法〉講演中回答了這個問題。

他認爲社會主義之派別有：共產社會主義、集產社會主義、國家社會主義、無政府社會主義。「自予觀之，則所謂社會主義者，僅可區分爲二派：一、集產社會主義，二、共產社會主義。蓋以國家社會主義，本屬於集產社會主義之中；而無政府社會主義，又屬於共產社會主義者也。」又因爲「『民

153

生』二字，實已包括一切經濟主義」，所以得出「各主義連帶關係與範圍圖」的結果。

表 7-1　孫中山所詮釋的社會主義派別

社會主義	
集產社會主義 （包含國家社會主義）	共產社會主義 （包含無政府主義）
重生產	重分配
集產：凡生利各事業，若土地、鐵路、郵政、電氣、礦產、森林皆為國有。	共產：即人在社會之中，各盡所能，各取所需。如父子昆弟同處一家，各盡其生利之能，各取其衣食所需。

資料來源：〈社會主義之派別與方法〉

　　仔細探究「各主義連帶關係與範圍圖」（出於〈關於民生主義之說明〉）和孫中山各種解釋，可以發現：孫中山以「正本清源，用民生主義替代社會主義名稱」的說法，認為民生主義要處理的範圍較大，可以超越社會主義派別的在方法上的爭議，但其實理由並不充分，孫中山說「民生主義就是社會主義」，兩者同樣都是在處理「社會、經濟和人類生活的問題，也就是研究人民的生計問題」。也可以將民生主義看成，採擷共產（社會）主義和集產（社會）主義優點一個派別而已，因此「民生主義範圍大於社會主義」只是一種「分

類說法」[3]。

因此，以「簡約」的概念而論，可以認為「民生主義」是「國家社會主義」，也是「國家資本主義」。

二、孫中山平均地權的轉折

孫中山在〈當前急務在實行民生主義〉演講說道：「地為百貨之源，物莫不由地生者。土地、人力、資本（即機器）為營業三大要素，而土地為尤重。」這是他對於土地的基本認識。並認為：「若能將平均地權做到，則社會革命已成七八分了。」〈民生主義與社會革命〉

「平均地權」若是按字面上的意思來了解，應該是「平均地分配土地所有權」，如此當行國有土地政策廢除土地私有制度。同盟會也將此加入宣誓誓詞中，

胡漢民在《民報》第三號〈民報之六大主義〉中將平均地權綱領解釋為土地國有，「吾人用國有主義，……然其目則使人民不得有土地所有權，惟得有其他土地權，且諸權必得國家許可，……如是則使地主強權將絕跡於支那大陸。（引自黃克武、潘光哲主編，2015：106）另，馮自由在《民報》第四號（1906 年 5 月 1 日）〈錄《中國日報》民生主義與中國政治

---

[3] 孫中山在談到主義時，通常將「民族主義、民權主義、民生主義」三詞連用；但是談論革命時，常將「民族革命、政治革命、社會革命」名詞連用，而不是連用「民生革命」。雖說「民生主義，是社會主義的本題」，反之，社會主義（革命）也可以是民生主義的本題。

革命之前途〉中表示：「然則救治之法爲何？則惟有實行土地國有（Land Natlionatisation, Natlionatisation 即平均地權）之政策，不許人民私有土地而已。（引自黃克武、潘光哲主編，2015：138）」，《民報》是同盟會時期的重要報紙，是同盟會的機關報，也可視爲代表孫中山的立場，至少在同盟會時期對「平均地權」的方法是較爲激進的「土地國有」。

　　進入民國後，孫中山提出「平均地權」有兩種方法：「其平均之法：(一)照價納稅，(二)土地國有。」〈平均地權乃以土地之利還之大眾〉，其原因在於：「求平均之法，有主張土地國有的，但由國家收買全國土地，恐無此等力量，最善者莫如完地價稅一法。」（1912 年 4 月〈民生主義與社會革命〉演講），「平均之法，人多誤會爲計口授田，若古井田之法，則大不然。此在未開化時代尚可行之，而在今日絕不適用。今平均地權有一最善、最簡之法，即按價收稅而已。」（1912 年 9 月〈當前急務在實行民生主義〉演講）且在民生主義第二講中，再三讓地主放心，平均地權採取和緩的方法。

　　但是實際上執行的結果卻改採「都市平均地權」，孫中山說：「我既自稱革命家，社會上疑義紛起，多所誤會。其實中國式之革命家，究不過抱溫和主義，其所主張者非極端主義，乃爭一良好穩健之政府。」〈革命思想之產生〉而「平均地權」的方法也不採「所有權」而是「土地的增值」收歸國有。

　　從上述可知，在土地問題的理論和具體執行措施上，重大的轉折是：1.在理論方面，從僅有一種激烈的收歸所有權方

式，到另外提出和緩的照價納稅，最後採取的是和緩的照價納稅方法，土地的增值收歸國有；2.在具體執行措施上，改採「都市平均地權」。如此轉折的原因在於：1.若由國家收買全國土地，無此財政能力；2.各地土地價值不同，無法採行土地三等法（上、中、下）納稅；但其核心理念仍是「革命為多數人謀幸福，若地權不平均，則不能達多數幸福之目的。」〈地權不均則不能達到多數幸福之目的〉

、國家資本主義的軌跡

　　然而在這些簡易、變（易）之間，孫中山的心中似乎有其不變（不易）的核心價值存在，吳玉山（2012：13）也認為：「孫中山從民主國家資本主義到威權國家資本主義的轉變，反映的不是孫中山終極理想的改變，而是策略與手段的調整。」因此孫中山的變，僅是一種經世致用的時中策略。

　　孫中山有幾次比較重要的國內外實地考察體驗，分別是：1.上書李鴻章之後，「予乃與陸皓東北遊京津，以窺清廷之虛實；深入武漢，以觀長江之形勢。」《心理建設‧第八章有志竟成》這個階段的考察主要以軍事行動為主。2.倫敦蒙難之後，「則暫留歐洲，以實行考察其政治風俗，並結交其朝野賢豪。兩年之中，所見所聞，殊多心得。」《心理建設‧第八章有志竟成》在這個階段中，對於文明之善果與惡果多所體察，

157

並參酌相關政治經濟學說，尤其側重於民生主義的土地與資本兩大問題。3.臨時大總統卸任後，從南京返回上海，並尋訪武漢、南昌等地，北上北京與袁世凱會晤 13 次後擔任全國鐵路總督辦，進行全國鐵路考查之旅，規劃 10 年內建築 20 萬里的鐵路計畫。這三次的考察體驗，可大致和國家資本論的三階段相映合，分述如下：

表 7-2　孫中山國家資本論的文本系譜

階段	對象	文本名稱	時間	年齡		主要內容
第一階段	英美	致鄭藻如陳富強之策書	1890年(民前22年)	25歲	青年時期	興農桑、禁鴉片、辦教育
		農功	1891年(民前21年)	26歲		農部應有專官，農功應有專學，以西法(科學方法)治農
		上李鴻章陳救國大計書	1894年(民前18年)	29歲		人能盡其才、地能盡其利、物能盡其用、貨能暢其流
		刱立農學會徵求同志書	1895年(民前17年)	30歲		強調農業之重要，倡議成立農學會，招募會員
第二階段	英美	倫敦被難記	1897年(民前15年)	32歲		參考綜融社會經濟諸家學說，三民主義之主張（框架）完成
第三階段	英美德俄	實業計畫	1920年(民國9年)	55歲	晚年時期	發展實業的四大原則、十大目標、六大計劃
		民生主義演講	1924年(民國13年)	59歲		解決土地問題（都市平均地權、農村耕者有其田），和資本問題（節制私人資本、發達國家資本）

資料來源：作者自製。

一、社會改良之策論

　　林家有、張磊（2014：80-84）將〈致鄭藻如陳富強之策書〉定位為「迄今所發現孫中山最早探討社會改革的文章」、「反映了孫中山青年時代改造社會的最初設想」。關於孫中山對於社會改良思想之萌芽，應可更早往前追溯，在香港讀書時期即已投書報紙[4]，更早在十三歲時，「隨母往夏威仁島，始見輪舟之奇，滄海之闊；自是有慕西學之心，窮天地之想。」〈自傳〉

　　〈致鄭藻如陳富強之策書〉內容在於「興農桑、禁鴉片、辦教育」三項。這時的孫中山急切地「欲以平時所學，小以試之一邑，以驗其無謬」，故仿賈山「至言」和杜牧之「罪言」而作「策略」。〈農功〉一文範圍並未超出〈致鄭藻如陳富強之策書〉，然〈農功〉已然注意到地緣政治經濟，例如，「英商招人開墾於般島、俄國移民開墾西北」、「我國與彼屬毗連之地，亦亟宜造鐵路，守以重兵，仿古人屯田之法。」〈農功〉

　　〈上李鴻章書〉中開宗明義即寫到「幼嘗遊學外洋，於泰西之語言、文字、政治、禮俗，與夫天算地輿之學，格物化學之理，皆略有所窺，而尤留心於其富國強兵之道，化民成俗之

---

[4]　尚明軒（2014：72）說道：「他還利用課餘時間寫了一些論文，投送到香港教會報紙和上海《萬國公報》等處，闡述他對改善中國政治局勢的見解。」

規。」同書中亦寫到「文今年擬有法國之行，……，並擬順道
往遊環球各邦，觀其農事。如中堂有意以興農政，則文於回華
後，可再行遊歷內地、新疆、關外等處，察看情形，何處宜
耕？何處宜牧？何處宜蠶？詳明利益，盡仿西法，招民開墾，
集商舉辦，此於國計民生大有裨益。」

孫中山一再向李鴻章表明自己見聞豐富並鑽研博學於泰西
之學，一如在〈致鄭藻如陳富強之策書〉中提到「某留心經濟
之學拾有餘年矣，遠至歐洲時局之變遷，上至歷朝制度之沿
革，大則兩間之天道人事，小則泰西之格致語言，多有旁
及。」論者常明示或暗示這個時期的孫中山因為求官不成[5]，
進而從改良派變成革命派。不過可從前述話語反面得知，身處
於通商口岸知識分子——孫中山，對國內（內陸）的認識還是
有限。

尚明軒（2014：101）認為「它【按：〈上李鴻章書〉】
反映著孫中山關於富強國家、發展生產和建立一個資本主義中
國的初步構想，是一個在教育、農業、工礦業、商業、交通運
輸業等方面學習西方現代化的方案。」至於〈刱立農學會徵求
同志書〉則是再次強調農業之重要，倡議成立農學會招募會
員。

---

[5] 例如史扶鄰（1980/2010：309）說道：「這時，孫中山年近三十。他
意識到，在本地行醫不是成名的捷徑。他還以為，他所受到的教育及
對外部世界的了解，在同一代中國人中是罕見的，而且又為國家所急
需，因此，其學識應用於來幹一番更大的事業。」

從 1890 到 1895 年孫中山陸續寫作〈致鄭藻如陳富強之策書〉、〈農功〉、〈上李鴻章陳救國大計書〉、〈擬立農學會徵求同志書〉，5 年間的四篇文章其間脈絡一貫，尤其以〈致鄭藻如陳富強之策書〉和〈上李鴻章書〉兩篇投書最為重要，並且以〈上李鴻章書〉的面向最為完整，內容最為豐富。

在第一階段裡，孫中山師法的對象是歐美，主要體驗來自出生地（廣東廣州府香山縣）、香港、檀香山的求學和生活經驗，他「所處的整體地緣、社會、政治環境，讓他見識並體悟到中國正走向危亡（Bergere, 1994/2010: 45）」，因此急切地以改良派的立場提出策論，自乙酉中法戰爭（1883 年 12 月至 1885 年 4 月）之後，始有志於革命（〈中國革命史〉），1894 年創立興中會，1895 年第一次廣州起義，及至倫敦蒙難（1896 年）後，師法的對象從英美改為日本，這時候的孫中山已經徹徹底底的從改良派「轉變」為革命派了。

二、民生主義之成形

西元 1885 年孫中山已經立志革命，為何又在 1890–1895 期間接連提出「策論」？這個問題要和林家有、張磊提出的歷史公案一併解決。林和張兩人認為孫中山曾於 1923 年 2 月在香港大學演說時稱：「我知此等（按：指革命）思想發源地即

為香港」[6]並且認為如此孫中山革命思想之產生，將從乙酉中法戰爭往後推遲六七年之久。對此矛盾說法，林和張兩人的解釋是：1.演講場域和語境上做出爭取人心（香港大學學生）和利於外交的雙重考量；2.在這個時期中，孫中山的改良和革命思想其實是並存的，只不過「到中法戰敗之年，他的革命意識不僅成為其思想主流，而且已開始上升為比較確切意義上的革命思想（林家有、張磊，2014：101）」。

如果接受了林和張兩人「改良－革命」並存消長的解釋，可以說1885年是立下「思想上」的革命意志，而成立中興會（1894年）發動第一次廣州革命（1895年）則是實踐於「行動上」的革命；既然「改良－革命」並存消長，投書只是給滿清最後機會，求官不成憤而革命的說法也就難以存在了[7]。

倫敦蒙難（1896年）後，孫中山「參綜社會經濟諸家學說，比較其得失，覺國家產業主義，尤深穩而可行。」（〈中

---

[6] 〈革命思想之產生〉，民國12年（1923年）2月20日在香港大學演講，孫中山說：「我以前從未能予此問題一相當答復，而今日則能之。問題維何？即我於何時及如何而得革命思想及新思想是也。我之思想發源地即為香港，……我因此於大學畢業之後，即決計拋棄其醫人生涯，而從事於醫國事業。由此可知我之革命思想，完全得之香港也。」

[7] 白吉爾（1994/2010：50）的看法是：「孫逸仙本人將其致力追求革命的時間點，溯源至1884年到85年間的中法戰爭，這比他上書李鴻章的時間早了將近十年。確實有不少歷史學家主張，孫逸仙的天津之行或許暗藏革命企圖。但也有歷史學家認為，請願書顯示孫逸仙與改革派有著相同的立場。」

國革命史〉）一般認為，喬治‧亨利【按，孫中山稱之卓爾基亨利】的《進步與窮困》、摩里斯‧威廉【按，孫中山稱之威廉氏】的《歷史之社會解釋》[8]、馬克思的《資本論》【按，孫中山稱之麥克司】……等思想對孫中山的影響尤大，白吉爾（1994/2010：407）：「他的學說被認為是混亂的大雜燴，是一種任性而為的折衷主義（eclecticism）的產物，把最迥異的觀念搭湊在一塊，毫不在意它們是否契合。」這個華洋混雜的結晶，也正是孫中山本人所自豪的思想構成特性，在民生主義或國家資本論裡，孫中山再次地發揮將俄國、英國、美國、德國、法國的思想家或作品「並時弛張」，在時勢潮流中參酌中國社會的獨特性「取法乎上」成為多文化的跨域作品。

　　當馬克思碰到恩格斯之後，才得以對生活在資本主義裡的工人階級所擁有的生存心態更深入了解。而孫中山「留居英國這段時間雖然不長，但卻是孫中山革命思想發展的一個重要階段。他不僅研究了資產階級民主主義理論，接觸到有關社會主義運動的學說，而且多次赴憲政俱樂部調查訪問，到愛頓農業館家畜展覽會、李勤街工藝展覽會等處參觀，考察英國社會經濟狀況。（尚明軒，2014：127）」[9]

---

[8] 孫中山在〈關於民生主義之說明〉文中將其稱為〈歷史之社會觀〉，蓋為 Social interpretation of history 之最初譯名，又有簡稱為「社會史觀」。

[9] 黃宇和（2004：213–220）也認為：至於孫中山親見的倫敦貧民窟，親聞的倫敦馬拉車駕駛員罷工，親歷的倫敦自行車展和聖誕育肥家畜展等，均不失為孫中山用以組成民生主義的「原料」。

　　暫留歐洲九個月之後，孫中山認爲「時歐洲尙無留學生，又鮮華僑，雖欲爲革命之鼓吹，其道無由。然吾生平所志，以革命爲唯一之天職，故不欲久處歐洲，曠廢革命之時日，遂往日本，以其地與中國相近，消息易通，便於籌畫也。」（《心理建設‧第八章有志竟成》）從英美「轉移」到日本，參與革命行動的主體也從從會黨、新軍、華僑到留學生，民國史學家大抵同意，從這個時候開始，由於知識分子的加入，使得革命運動展現了與已往不同的局勢。

　　在第二階段的日本時期這段日子，不同於前面的實地考察，《民報》和《新民叢報》的論戰——這種理論考察，對於完善三民主義的思想格外重要，「革命黨最顯著的變化即是提出民生主義的主張，……孫中山、胡漢民則將社會問題主要集中在土地的討論上，指稱只要實施『土地國有』政策就可避免大資本家出現，換言之，即『以國家爲大資本家』（林志宏，2015：xxiv–xxv）。」在《民報》第四號曾轉錄馮自由在《中國日報》發表之〈民生主義與中國政治革命前途〉：「最適合吾國政治社會之狀態者，蓋莫如單稅論之切實易行矣。單稅法（Single Taxation）濫觴於英人軒利佐治，於各稅法中最爲完善之稅法，且單簡便易，可無騷擾之虞。其主旨則曰：『除土地眞値外，一切租稅俱捐免之，如斯而已』。」

　　《民報》的文章有多篇是由孫中山口授而他人代筆發表，孫中山的演講和著作中出現諸多觀點，也經由與《新民叢報》論辯的淬鍊，民生主義這個拼湊式的主張，在解決中國社會問

題的可能性和可行性，獲得更多的合理性支持。「平均地
權」，「土地國有」和「單一稅率」不僅討論深入，且考慮和
試算國家財政，可以說自倫敦蒙難後提出的土地和資本問題，
民生主義的理論內涵在日本時期更加鞏固。

三、全國鐵路之籌畫

早在〈農功〉和〈上李鴻章書〉即有鐵路建設的思維，並
認識到「凡有鐵路之邦，則全國四通八達，流行無滯；無鐵路
之國，動輒掣肘，比之癱瘓不仁。地球各邦，今已視鐵路為命
脈矣……」。他深深地知道「各國人民之文野，及生計之裕
絀，恆以交通為比例。中國人民之眾，幅員之大，而文明與生
計均不及歐美者，鐵路不興，其一大原因也。」（〈築路與借
債〉）

因此中國要「實行社會主義，以建設鐵路為先」，孫中山
在歐美的經驗也讓他體悟到「凡立國鐵道愈多，其國必強而
富。如美國現有鐵道二十餘萬哩，合諸中華里數，則有七十萬
里。乃成全球最富之國。」「惟現欲辦路，因國庫款項支絀，
不得不借外債，……美國未造路以前，其貧與我國相同，後向
外國借債興路，刻已收效。」[10]（〈築路與借債〉）美國在南

---

[10] 另《民生主義·第二講》提到：照美國發達資本的門徑，第一是鐵
路，第二是工業，第三是礦產。要發達這三種大實業，……交通上不
過是六七千英里的鐵路，要能夠敷用，應該要十倍現在的長度，至少
要有六七萬英里，才能敷用。

北戰爭（1861 至 1865 年）結束後由於鐵路貫通東西部，大量
人口西進，造就了 1870–1890 年代的黃金時代。尤其是「他還
看到鐵路建設在美國西部開發中的重要作用（朱從兵，2003：
114）」。這一點可以從項定榮（1982：2-3）所著的《國父七
訪美檀考述》書中得到旁證（參見本章附錄），孫中山第四次
到第六次訪美均橫貫美國，時間從 1896 年至 1910 年，第七次
（1911 年）兩度周行美國大陸，與美國南北戰後的黃金時代
相疊。1912 年孫中山在上海〈中華民國鐵道協會歡迎會〉演
講中提到：「即若美國西方，在昔亦荒涼滿目，鐵路一通，地
勢即變」。日後在實業計畫中孫中山以鐵路開發大西北，及移
民蒙古、新疆的戰略佈署，顯然深受美國鐵路交通之啓發。

至於如何修築鐵路？他認爲可借鑑美國的方法，「美國之
法爲何？曰：招待外資，任用外才，政府獎勵，人民歡迎，此
四者可以助美國鐵路之速成也。」（〈鐵路雜誌題辭〉）日後
在《實業計畫》中，依然保留這個借用外資外才、抵抗最少
（國民最需要、人民歡迎）的概念以開發中國實業。

值得一題的是，澳洲記者端納（William Henry Donald）
親見孫中山手持毛筆和一塊墨，不時隨心所欲的在各省和各屬
地的位置上畫滿了許多線路。線路安排完全憑臆想，絲毫不考
慮現實的地理地勢。這個被稱爲「孫逸仙之夢」（A congruent
nightmare）的「預言」，固然在當時因爲資金、技術……種種
原因無法實行，卻在百年之後的中國逐步實現中。

　　　　朱從兵（2003：113）指出：「他對近代世界鐵路的發展

大勢、基本成就、正反兩方面的影響、建設與管理體制或經驗等方面均有一定的認識，其認知水準超出了他以前的中國近代的其他先進人物【按，主要係指李鴻章、張之洞】。」雖然全國鐵道總督辦這個職務，與孫中山「職業革命家」的既定形象太不相稱，孫中山在當時可能是最有國際觀和實業觀的政治家，他的全國鐵路建設計畫，發展為全國面性的國土綜合開發計畫《實業計畫》。

在第三個階段中，孫中山曾赴日本進行考察，「他先後到過神戶、東京、名古屋、京都、奈良、大阪、福田、熊本等許多城市，參觀考察了工廠、鐵路、學校，……孫中山從日本經濟的高速發展情況中，看到中國的未來。（尚明軒，2014：482–483）」

肆、國土開發的社會設計

一、空間‧資本‧運輸

節制私人資本、發達國家資本，必須和「振興實業」一起思考，若無《實業計畫》則民生主義無由實現，民生主義只會淪為「烏托邦（空想的）」社會主義，無法成為「科學的（實證的）」社會主義。

「資本（capital）」，在經濟學上指的是用於生產的基本

生產要素。例如資金、廠房、設備、材料等物質資源，用來生產其他商品或產生收入的累積物力與財務資源。孫中山對「資本」的理解是：「資本原非專指金錢而言，機器土地莫不皆是」〈社會主義之派別及方法〉、「經濟學家爲資本非金錢一項可盡其義，其人工造成的物產，消費之餘，以之補助發達物產，無在不爲資本。」《民生主義・第三講》、「商業時代之資本爲金錢，工業時代之資本爲機器。」《民生主義・第二講》因此邵宗海（2017：62）歸結「孫中山對資本的認知先受到西方經濟學家的影響，而採取廣義的資本概念，意指土地及人力之外，凡能提供生產的物質財貨均屬之，例如機器、資金、廠房、運輸工具、生產技術及生產原料……等等。」

馬克思地理學者哈維（David Harvey）指出資本主義的活動領域有七個，技術和組織形式、社會關係、制度和行政安排、生產和勞動過程、人與自然的關係、日常生活和人類再生產、對世界的心智概念（Harvey, 2016/2018: 479）。那麼孫中山以國家爲主體的資本佈署，從《實業計畫》的內容來看，以「國家」爲生產及分配的主導力量，實現國家資本主義，其以合作取代衝突的精神，也具有列若干特色：

1. 壓縮時空速度：以遍布於全國的鐵公路交通，和電報線路、電話及無線電等，壓縮地理和心理上時空。

2. 改變社會關係：使國人之交際日增密切，消弭省籍歧見、隔閡與衝突。

3. 人與自然關係：建造中國北部及中部森林、灌溉蒙古新

疆。

4.城市（鄉）發展：六大計畫分別於鐵路中心集終點，設
新式市街（發展南京、廣州……等城鄉區域發展），開
發中國富源的同時，也縮短貧富差距。

5.技術組織形式：以歐戰後的工廠設備和技術專才結合中
國勞工，提升中國生產技術。

6.制度行政安排：萬國互助中國，各國政府組一國際團協
助實現鐵路、工業和礦業計畫，最終收歸中國經營。

7.新的世界關係：以合作代替競爭，解決預防歐戰後的國
際戰爭、商業戰爭與階級戰爭。

「在西方資本主義世界走向現代性的構建過程中，對傳統
社會、都市、城市空間進行大規模的改造，是其核心任務之一
……通過大規模的物質與空間的改造，實現整個社會在政治、
經濟、物質、交往、階級關係、勞資關係的根本轉變。（毛
娟，2015：137）」而國家資本論要進行的「破壞性創造」工
程，即是透過交通運輸，將土地和資本進行前所未有的、全面
性的時間改造和再生產。

二、《實業計畫》的社會設計

社會設計（social design）是一種「解決社會問題的設
計」，目的是改善多數人的生活品質，是一種觀看社會的方
式，關於人們如何想像、進而改造、最後落實一個更好的社
會。此概念起源於美國設計理論家維克多・巴巴納克（Victor

Papanek）於 1971 年出版，並在 1984 年修訂再版的《為眞實
世界設計》（*Design for the real world*）序言所指出：設計必
須成為一種得以回應人類眞正需求，創 新、富創造性跨學科
的工具，且更偏重其研究導向（Papanek, 1985/2013: 6）。

《實業計畫》不僅是社會設計，更是全國性的國土計畫
[11]。值得一提的是，在〈中國之鐵路計畫與民生主義〉文中，
孫中山提到：

> 鐵路能使人民交接日密，驅除省見，消弭一切地方觀
> 念之相嫉妒與反對，使不復阻礙吾人之共同進步，已
> 達到吾人之最終目的……今後將敷設無數之幹線，以
> 橫貫全國各極端，使伊犁與山東恍如毗鄰，瀋陽與廣
> 州語言相通，雲南視太原將親如兄弟焉。迨蓋省區之
> 異見既除，各省間不復時常發生隔閡與衝突，則國人
> 之交際日增密切，各處方言將歸消滅，而中國形成民
> 族公同自覺之統一的國語必將出現矣。〈中國之鐵路
> 計畫與民生主義〉

李思逸（2020：197-199）認為：「從這些一改再改的路

---

[11]《國土計畫法》第三條第一項指出，國土計畫，指針對我國管轄之陸
域及海域，為達成國土永續發展，所訂定引導國土資源保育及利用之
空間發展計畫。同法第三條第二項，全國國土計畫：指以全國國土為
範圍，所訂定目標性、政策性及整體性之國土計畫。

線規劃中，仍可以發現兩種規律：1.這些線路幾乎都是東西走向，由沿海城市溝通西部邊疆，與領土識別相對應；2.路線規劃依據既非經濟資源，也不關軍事邊防，而是盡可能連接多地，最終覆蓋全國。」孫中山在規劃全國鐵路時，除採兩大端點連線的一般原則外，同時也採以大連小端點的設計，李思逸認為：經濟利益從來不是孫中山考量的重點[12]，這種想像的烏托邦，把握住了如安德森（Benedict Aderson）建構統一共同體的先決條件，對一個強大、統一、發展的中國領土完整的主權宣示。

《實業計畫》的社會設計，不僅是有利於中國，同時互惠於國際；是經濟的（民生），同時也為地方自治（民權）奠定堅實的基礎，所以也是政治的和民族的。究竟在實務上，欲實現《實業計畫》不能僅靠道德勸說，經濟力量背後需有穩定的政治力量予以保護和實踐。可惜當時中國處在軍閥割據局面，更添投資風險讓銀行團止步，列強處心積慮分佔中國劃分勢力，而無心迎合孫中山的《實業計畫》；在建設的順序上，也必定是先幹線而後支線。但《實業計畫》做為中國全面現代化的藍圖，以今天來看，仍未失其指導作用。

---

[12] 其實在鐵路建設和運輸上，孫中山也是有考量成本和合理性，例如在《民生主義・第三講》提到：所以在窮鄉僻壤的地方，便不能夠築鐵路，祇能夠築車路；有了車路，便可以行駛自動車。在大城市有鐵路，在小村落有車路，把路線聯絡得很完全，……由此可見我們要解決運輸糧食的問題，第一是運河，第二是鐵路，第三是車路，第四是挑夫。

伍、結論

孫中山「國家資本論」關切的是比民生主義內容更為廣泛的土地、資本和實業。在那個極度變動的社會裡，我們「看見」的是孫中山在「國家資本論」的三階段中不斷地轉換學習師法和聯盟的國家，在那些「變」與「不變」之間，如何並時弛張地取法乎上，逐步地去完善「國家資本論」發展的戰略和具體作法。

馬克思在《共產黨宣言》中曾言：「哲學家只是用不同的方式解釋世界，而問題重點在於改變世界。」馬克思站在資本主義的對立面，使他容易「看見」資本主義的流弊，但孫中山是同時站在資本主義和馬克思的對立面，使他更容易「看見」馬克思的「看不見」，先行思患預防。馬克思看不見資本主義本身的自我修正，致使他所預言的世界革命並未到來，因此稱呼馬克思為「社會病理學家」。

孫中山雖然看見了中國未來發展的必要之途，但是他「看不見」一百年後的中國正逐步地落實他的《實業計劃》。

附 錄

國父七次訪美檀簡表

次別	年齡	時　間	旅　程	主要成就	備　註
第一次	13–18歲	1878年6月至1883年7月	檀香山	求學，完成基礎教育	
第二次	19–20歲	1884年11月至1885年4月	檀香山	決志「傾覆清廷，創建民國」而以醫術為入世之媒	
第三次	29–30歲	1894年10月至1895年1月	檀香山	創立興中會	
第四次	31歲	1896年1月至同年8月	由檀香山轉美，自西而東，橫貫美國本土，再往英國，歸途於1897年7月由英經加拿大赴日	1.三民主義思想形成 2.對美國華僑初次傳佈革命思想	倫敦被難
第五次	38–39歲	1903年9月至1904年2月	經檀香山至美國，自西而東，遍訪美國各埠	連絡美國洪門，週歷各埠募款	轉赴法國及南洋，第一次環形全球
第六次	44–45歲	1909年11月至1910年5月	由東而西，三訪美國各埠，轉至檀香山	設立美國各大埠同盟會分會	由南洋轉歐赴美，第二次環形全球
第七次	46歲	1911年1月至同年10月	兩度週行美國大陸一次環行加拿大	籌募廣州新軍起義及黃花崗之役的革命軍費	兩度繞行全球，由南洋赴歐轉美，再由美赴英法德返國

資料來源：項定榮，1982：2–3。

第八章

三民主義的方略分析*

---

* 本章原名〈孫中山國家發展的SWOT策略芻議〉，初稿曾於 2020.11.12
「紀念孫中山：天下為公與世界大同」國際學術研討會（台北：國父
紀念館）宣讀並經評論人評論，今部分內容在全書脈絡下增刪。

建主義以爲標的，定方略以爲歷程

孫中山

壹、前言

韓佛瑞（Albert Humphrey）在 1964 年所提出的 SWOT 強弱危機分析，又稱優劣分析，係透過評價企業的優勢（Strengths）、劣勢（Weaknesses）、競爭市場上的機會（Opportunities）和威脅（Threats），用以在制定企業的發展戰略前對企業進行深入全面的分析以及競爭優勢的定位。事實上，SWOT 有助於有機體在環境中的存續競爭分析，除企業外，也可適用於個人、科層組織、國家⋯⋯等。

表 8-1 的兩大面向分別是內部（組織）、外部（環境）與有助於達成的目標、有害於達成的目標，而延伸出來的策略可以是需要加強利用的槓桿性（SO）、需要改進的抑制性（WO）、需要被監視的脆弱性（ST）與需要被消除的（WT）[1]。

---

[1]　1.槓桿性（優勢＋機會）–SO：內部優勢與外部機會相互一致和適應時。2.抑制性（劣勢＋機會）–WO：抑制性意味著妨礙、阻止、影響與控制。3.脆弱性（優勢＋威脅）–ST：優勢的程度或強度的降低、減少。4.問題性（劣勢＋威脅）–WT：內部劣勢與外部威脅相遇。

表 8-1　SWOT 的矩陣分析概念

		有助於達成的目標	有害於達成的目標
		優勢 S	劣勢 W
內部 （組織）	機會 O	SO 槓桿性（利用）	WO 抑制性（改進）
外部 （環境）	威脅 T	ST 脆弱性（監視）	WT 問題性（消除）

資料來源：筆者自繪。

　　三民主義、建國方略、建國大綱等著作，都產生在孫中山的生命晚期，他「建主義以為標的，定方略以為歷程」（〈中國革命史〉），作為指引中國現代化的整體戰術與戰略藍圖。孫中山在〈中國革命史〉說道：「余之謀中國革命，其所持主義，有因襲吾國固有之思想者，有規撫歐洲之學說事蹟者，有吾所獨見而創獲者。」從語詞表面來看，整個三民主義是經由「固有思想（內部）」和「歐美事蹟（外部）分析」之後所「獨見的創獲（解方）」，有著非常明顯的 SWOT 分析的意象。

　　雖然以 SWOT 的概念框架去分析「國家」層次將遭遇變數太多、訊息超載及難以呈現階段性的困難，本章仍試圖以此分別就民族、民權、民生進行文本內容的定性分析（content analysis），並梳理出孫中山針對問題所採取的簡要方略為何，最後回到孫中山自己的術語來說，他的救國建國與中國現

代化思維是分兩條路進行，採行兩大方略：「思患性的預防」
和「破壞性的建設」方略，與 SWOT 的概念相涉的是控制型
（ST）、防禦型（WT）、扭轉型（WO）、增長型（SO）[2]。

貳、方略與策略

　　孫中山思想中提到關於「方略」的語彙主要有：「革命方
略」、「建國方略」。從〈圖書館學與資訊科學大辭典〉的解
釋來看：「方略原指計謀策略之意。清代將記載和反映歷次重
大軍事活動始末的上諭檔案、前線統領的奏摺、地方官的報告
及有關詩文、碑刻等，擇其要者並多有刪節而編纂成書，稱為
方略，或稱紀略。屬軍事檔案文獻匯編材料。方略採用紀事本
末體裁，以干支紀年，按年月日順序所收材料，便於明瞭每次
戰事的發展過程。」因此「方略」是一種按時間發生順序而為
的軍事簡要紀錄或簡報。在〈中國革命史〉前言提到：

> 余自乙酉中法戰後，始有志於革命，乙未遂舉事於廣
> 州，辛亥而民國肇成。然至於今日，革命之役猶未竟
> 也。余之從事革命，蓋已三十有七年於茲，賅括本

---

[2] WT 問題性（消除），這是一種防禦型策略，是既有問題的消除；ST
脆弱性（監視），這是一種控制型策略，是未來可能問題的防範。
WO 抑制性（改進），這是一種扭轉型策略，對既有制度的破壞；SO
槓桿性（利用），這是一種增長型策略，對未來理想制度的建設。

> 末，臚列事實，自有待於革命史，今挈綱要述之如
> 左。〈中國革命史〉

　　例如，〈中國革命史〉全篇將 37 年的革命歷程略以 9000
字呈現，概述「革命之主義」、「革命之方略」、「革命之運
動」、「辛亥之役」、「討袁之役」、「護法之役」。依此而
言，頗為符合「方略」一詞的歷史語彙脈絡。其中「革命之方
略」更是「規定革命進行之時期為三：第一為軍政時期，第二
為訓政時期，第三為憲政時期。」

　　又如《建國方略》是 1917 年至 1920 年期間《孫文學
說》、《實業計畫》、《民權初步》三本著作的合訂本。因此
《建國方略》以「方略」為名，已非傳統語彙中的紀略或簡
報，實有本文 SWOT 強弱危機分析之「策略」意涵。

> 余之從事革命，建**主義**以為**標的**，定**方略**以為**歷程**，
> ……，求天下之仁人志士，**同趨**於一主義之下以同致
> 力，於是有**立黨**；求舉國之人民，**共喻**此主義，以身
> 體而力行之，於是有**宣傳**；求此主義之**實現**，先破壞
> 而後有建設，於是有**起義**。〈中國革命史〉

　　《三民主義》特殊之處在於危機倡議、問題提出、介紹思
潮、情勢分析、解方提供……等，全部都在這一部文本中完
成，本章分別從民族、民權、民生主義進行文本的內容分析，

梳理出 SWOT 強弱危機分析之處，進而歸納出「思患性的預防」及「破壞性的建設」方略，進行命題式的二級抽象（second-order abstractions）[3] 整理。並於文末初探「地方自治」與「參與式預算」的初步關係。

 、民族主義的 SWOT 分析

一、SWOT 分析（表 8-2）

孫中山在《民族主義》中展現了高度的危機預警。中、西方現實局勢的分析介紹，以及各種概念的倡議與解方的提出，始終是轉換交互貫穿於《民族主義》六個講次，第五、六講則是具體從民族主義到世界主義，中國須從濟弱扶傾到世界大同的天職。

在《民族主義・第一講》中首先定義甚麼是民族主義、民族與國家的區別和創造力來源是自然力（王道）與武力（霸道），次從五種自然力（血統、生活、語言、宗教、風俗習慣）說明民族的起源。再從西方主要列強國家人口發展，談到中國人口的喪失和民族的危險，推論「將來的趨勢，一定是無

---

[3] 初級抽象（first-order abstractions）係指通過文本的觀察，找到 S、W、O、T 的策略，繼而使用二級抽象（second-order abstractions）進行更深入的觀察，從這些策略中找到因果命題。

論那一個民族或那一個國家，只要被壓迫的或受委屈的，必聯合一致，去抵抗強權」。從英國、日本、俄國、德國、美國、法國的分析認爲如果中國的人口無法增加，又沒有民族主義，將來一定被併吞。

在《民族主義・第二講》，承續前一講的內容，談到中國民族消亡問題係因同時承受的自然力（人口）與人爲力量（政治力與經濟力）。「看得見／有痛癢／有形的」的政治力與「不容易生感覺／無形的」的經濟力比自然力更容易讓中國成爲「多國」列強的奴隸和「次殖民地」。文末並舉銀行、租界、割地……等例說明經濟力的壓迫。

在《民族主義・第三講》，首言民族主義是國家發達和種族生存的寶貝，但是中國已失去民族主義幾百年了。從歷史來分析，民族主義喪失的原因有：會黨被利用，而被異族征服最爲重要。其他民族（例如猶太民族）也有被征服但迅速恢復民族主義，但列強「拿帝國主義把人征服了，想要保全他的特殊的地位，做全世界的主人翁，便是提倡世界主義，要全世界都服從。」使得中國不易恢復民族主義。在《民族主義・第四講》中，略述歐戰的結果仍是一個帝國主義打倒個別的帝國主義，留下來的仍是帝國主義。中國若要發達世界主義，一定要先鞏固帝國主義。

在《民族主義・第五講》，倡議以「能知、合群」作爲恢復民族主義的解方，知其地位危險、知其有三大壓迫，進而以堅固的家族宗族團體團結爲國族團體。《民族主義・第六

講》，倡議以「恢復固有道德（八德）」，和「恢復固有知能
（智識和能力）」兩種方式以求恢復民族地位，並以濟弱扶傾
的政策對世界「負一個大責任」。

表 8-2　民族主義的 SWOT

威脅 T	1.自然力與人為力的淘汰：面對三大壓迫（人口、政治、外交）不生感覺。 2.政治（軍事）：日本 10 天、美國 1 個月、英國 2 個月、法國 4-50 日便可亡華。 3.經濟：約 10 年後可亡華（海關稅、洋貨、外國銀行、租界、特權營業、投機事業等）。 4.政治（外交）：列強 1 天內便可以外交亡華。
劣勢 W	1.民族主義已喪失幾百年：被異族征服、太早進入世界主義、會黨被利用。 2.中國是一盤沙，沒有國族主義。 3.是各國（不只一國）的奴隸（殖民地與次殖民地）。 4.列強鼓吹變相的世界主義，五四新文化學生跟風流行。
優勢 S	1.中國人口尚有 4 萬萬人。 2.中國固有的道德（愛好和平……等）和政治哲學。 3.具有固有智識和固有能力。 4.有堅固的家族和宗族團體。
機會 O	1.以濟弱扶傾為天職，聯合世界弱小民族。 2.學習歐美的長處（科學），學習最先進的科學可後發並列超越於歐美。 3.民族主義是種族圖生存國家求發達的寶貝。

資料來源：筆者自繪。

二、方略與命題

民族主義是孫中山革命的起始點也是其終極關懷。扭轉
（WO）之處在於重塑國族主義以發展世界主義；增長（SO）
之處在於喚起固有的道德、智識與能力，發展成為愛好和平的
王道世界主義；控制（ST）之處在喚起危機與榮譽感，團結
各種團體，避免三大危機；防禦（WT）之處在防止變相的帝
國主義蠶食鯨吞中國。

在民族主義中，最重要的破壞性方略，當然是推翻滿清專
制統治，而最重要的思患性預防策略，就是避免中國強盛之
後，又變成侵略性的帝國主義：

> 如果中國強盛起來，也要去滅人國家，也要去學列強
> 的帝國主義，走相同的路，便是蹈它們的覆轍，所以
> 我們要先決定一種政策，要濟弱扶傾，才是近我們民
> 族的天職。我們對於弱小民族要扶持他，對於世界的
> 列強要抵抗他……《民族主義・第六講》

民族主義「濟弱扶傾、共進大同」對國內不僅是種自我期
許和要求，更重要的是對西方列強的宣告，中國革命是有利於
世界的，消除疑慮並爭取友好同情，這一點在〈中國問題真解
決〉中看得非常清楚。整個民族主義簡化後的命題如下圖所
示：

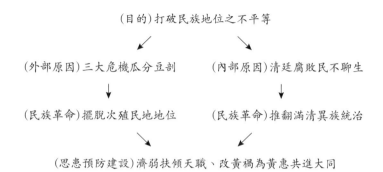

(目的)打破民族地位之不平等

(外部原因)三大危機瓜分豆剖　　　(內部原因)清廷腐敗民不聊生

(民族革命)擺脫次殖民地地位　　　(民族革命)推翻滿清異族統治

(思患預防建設)濟弱扶傾天職、改黃禍為黃惠共進大同

肆、民權主義的 SWOT 分析

一、SWOT 分析（表 8-3）

　　在《民權主義・第一講》中首先定義甚麼是民權、民權主義。以人類歷史演進和世界進化，去劃分民權的作用和時期（人同獸爭／氣力→人同天爭／神權→人同人爭、國同國爭、民族與民族爭／君權→人民同君主爭、公理同強權爭／民權），續以考察全世界各國民權情形，證成其論述。從西方的民權鬥爭的經驗中，孫中山看到了中國可能「爭皇帝」的禍害，因此提出了「順應世界潮流、縮短國內戰爭」建立共和。

　　在《民權主義・第二講》說明中國沒有「自由」這個名詞，但有自由之實，也藉中西方歷史闡明民權、自由的意義。185

進而論及，因為中國自由太過，只有一盤散沙，致使受到帝國主義侵略，必須採取革命，爭取國家自由。界定個人和國家自由的本質，認為「個人不可太過自由，國家要得完全自由」。在《民權主義·第三講》說明平等、假平等、不平等的意涵；西方在爭自由平等的過程和結果，產生許多流弊，因此中國革命不可再蹈其覆轍；並倡議平等的精義，巧者拙之奴。

在《民權主義·第四講》主題方向在於說明歐美人民近兩三百年來所爭得民權有多少，以及現在的民權進步到何種境地。以美國、法國、德國為例，產生三次的民權障礙，第一次障礙是美國革命，分成主張政府集權的哈美爾頓和極端民權的遮化臣兩派，最後是政府集權派獲勝；第二次障礙是法國革命，人民得到權力後變成暴民政治；第二次障礙是德國，畢士麥【編按：俾斯麥】用巧妙手段，實施國家社會主義去防止民權。西方的民權爭到現在成為「代議政體」，傳到中國變成更不堪的「豬仔議員」，各國到了「代議政體」就算是止境，中國必須到「全民政治」。

在《民權主義·第五講》論及美國學者提到，民權國家最怕也最希望的是能得到一個萬能政府，因此必須改變人民對政府的態度。因而提出權與能要區別的道理，是世界上學理中第一次的發明。接著提出天賦聰明才智，劃分先知先覺、後知後覺與不知不覺。以阿斗和諸葛亮、印度巡捕、汽車車伕三例，說明應讓人民有權，至於管理政府的人，便要付之於有能力的專門家。

在《民權主義・第六講》繼續前一講的內容，把政府比喻為機器，希望機器能產生很大的力量，是強有力的政府，所做的事業和成就的功效極大，又要爲人民所控制，就要採取權能區分。主張用人民的四個政權（選舉罷免創制複決）去直接管理政府的五個治權（行政立法司法考試監察），才算是一個完全的民權政治機關。

表 8-3　民權主義的 SWOT

威脅 T	1.民國初成，但一般老官僚至今還是主張復辟，恢復帝制。袁世凱利用言論，推翻民國，自己稱帝。 2.一般文人志士不顧國情，想仿照美國以聯省自治解決中國現在的分裂問題。
劣勢 W	1.自由一詞近代才輸入中國，普通民衆（像在鄉村和街道上的人）不解其意。 2.自由太多，沒有團體，對列強的經濟商戰沒有抵抗力，形成一片散沙。 3.中國工人講平等但不要穿長衣【按，知識分子或學者】的做領袖，只管經濟不管政治。
優勢 S	1.中國古代的階級不平等，沒有像從前歐洲那麼厲害。 2.中國古時舉行考試和監察的獨立制度，也有很好的成績。
機會 O	1.中國雖未曾實施過民權，但早有民權思想和主張，根據中國人的聰明才智，如果應用民權，比較（君權）上還是適宜得多。 2.世界潮流已至民權，因此革命同志下定決心，主張要中國強盛，非提倡民權革命不可。 3.主張巧者拙之奴，倡議以服務道德心的發揚，可達平等的精義。

資料來源：筆者自繪。

二、方略與命題

從西方爭民權的歷史演進中，孫中山發現雖然是爭到了民權，大家仍然想要當皇帝，因此中國革命為了順應世界潮流，縮短國內戰爭，於「革命宣傳之始，便揭出民權主義來建設共和國家，就是想免了爭皇帝之戰爭……」《民權主義・第一講》

孫中山認為歐美平等的流弊就是把平等兩個字認得「太呆」了，自然界既然沒有平等，人類天生怎麼可能有平等呢？弄到結果便成人為的不平等。他認為真正的平等並須立足於民權，歐洲在一兩百年以來，本是爭平等自由，但是爭得的結果，實在是民權，因為有了民權平等和自由才能存在，「我們重新革命便不可再蹈他們的覆轍專為平等去奮鬥，要為民權去奮鬥。」「所以中國國民黨發起革命，目的雖然是爭平等自由，但是所定的主義和口號，還是要用民權。」《民權主義・第三講》

西方「代議政體」不可信為國家長治久安之計，俄國正在發展中的「人民獨裁」政體，時間太短、資料太少無從判斷，仍應主張「全民政治」。在《民權主義・第四講》他談到：

我們國民黨提倡三民主義來改造中國，所主張的民權是和歐美的民權不同。我們拿歐美以往的歷史來做材

料，不是要學歐美，步他們的後塵，是用我們的民權
主義，把中國改造成一個「全民政治」的民國，要駕
乎歐美之上。《民權主義·第四講》

對於「全民政治」，孫中山的看法是：我們要現在的革命
不是徒勞無功，就必須想一個長治久安之計，「改良政治，便
不可學歐美從前的舊東西，要把歐美的政治考察清楚，……才
可以駕乎歐美之上。」《民權主義·第六講》

相較於民族主義，民權主義內容談論最多的是「建設」
（制度建構），新的治理模式，例如權能區分、五權憲法、直
接民權、地方自治、專家政治、萬能政府…等等；於此，孫中
山企圖以「人民有權」，具有良善的民主智識和能力，加上
「政府有能」，以五權憲法建立的完善政治機關，完成全民政
治，真正落實有民國之名亦有民國之實。

扭轉（WO）之處在於雖然無個人自由之名，但早有民
權思想，適合民權；增長（SO）之處在於政治不平等尚未嚴
重，主張巧者拙之奴；控制（ST）之處在於固有的考試監察
制度有助於矯正三權分立缺失；防禦（WT）之處在於人民只
管經濟不關心政治，帝制復辟容易成功，軍閥繼續割據。整個
民權主義簡化後的命題如下圖所示：

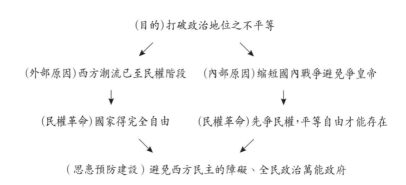

（目的)打破政治地位之不平等

（外部原因)西方潮流已至民權階段　　（內部原因)縮短國內戰爭避免爭皇帝

（民權革命)國家得完全自由　　（民權革命)先爭民權，平等自由才能存在

（思患預防建設）避免西方民主的障礙、全民政治萬能政府

伍、民生主義的 SWOT 分析

一、SWOT 分析（表 8-4）

在《民生主義·第一講》中，首先正本清源用民生主義的名詞替代社會主義，並拒斥馬克思「人類行為都是由物質的境遇所決定，人類文明史是隨物質境遇的變遷史」是不對的，並舉威廉氏的說法「社會問題才是歷史的重心」。另以歐美近年來的四種經濟進化：社會工業改良、運輸交通收歸公有、直接徵稅、分配之社會化，拒斥馬克思所說「階級戰爭史」，階級戰爭只是社會進化所發生的一種病症。再以駁斥馬克思的盈餘價值說，認為工業生產的盈餘價值，是「社會上各種有用有能力的份子，無論直接間接，在生產方面或者是在消費方面，都

有多少貢獻。」而且資本制度未來一定消滅的說法也與事實不同。最後提出所謂的民生史觀，「要把歷史上的政治、社會、經濟種種中心，都歸之於民生問題，以民生為社會歷史的中心。」

在《民生主義‧第二講》中，首言以平均地權、節制資本兩種方式解決中國的生民問題。在平均地權方面，略述規定地價、照價抽稅、漲價歸公，在節制資本方面，也略述單靠節制資本是不夠的，還要發達國家資本。第三講、第四講則依序分述食、衣、住、行四大問題。

表 8–4　民生主義的 SWOT

威脅 T	1.近來受到歐美經濟潮流的入侵，土地價格漸漸昂貴，有些地主變成富翁（例如上海和廣州）。 2.中國的社會問題，極時髦的人是贊成馬克思的辦法，多數的青年贊成共產黨，要拿馬克思主義在中國來實行。 3.中國人口在十年間少了九千萬是因為農業不進步沒飯吃，和受到外國經濟的壓迫。
劣勢 W	1.部分國民黨人當時只為了排滿，對於民權主義不甚明白，對於民生主義更是莫名其妙。 2.中國雖然沒有大地主，但是九成的佃農，大部分收成被取走，生產意願降低。
優勢 S	1.中國通通是貧，並沒有大富，只有大貧、小貧的分別。 2.解決土地問題，中國現在並沒有像西方一樣的大地主，現在來解決還容易做到。
機會 O	1.以目前的中國資本和經驗要發展鐵路、工業、礦產，尚無可能，可借重外國已成的資本。 2.現在是解決民生問題最著急的時候，如果不趁這個時候來解決民生問題，將來再去解決，便是更難了。

資料來源：作者自繪。

二、方略與命題

　　整部三民主義，民生主義採取「思患性的預防」策略的程度最大，因為民生主義的土地和資本兩個重點，均「於我為方來之大患」。

　　「由於土地問題所生的弊端，歐美還沒有完善方法來解決。我們要解決這個問題，便要趁現在的時候，如果等到工商業發達以後，更是沒有方法可以解決。」《民生主義‧第二講》另外對於資本問題，孫中山也提出：

> 我們主張解決民生問題的方法，不是先提出一種毫不
> 合實用的劇烈辦法，再等到實業發達以求適用，是要
> 用一種思患預防的辦法，來阻止私人的大資本，防備
> 將來社會貧富不均的大毛病。《民生主義‧第二講》

　　扭轉（WO）之處在於中國尚未有大地主，處理土地問題相對容易；增長（SO）之處在於善用外資外才來協助開方中國工商實業；控制（ST）之處在於防止未來出現貧富不均問題；防禦（WT）之處在於中國八九成都是佃農，要避免青年拿馬克思主義來實行。整個民生主義簡化後的命題如下圖所示：

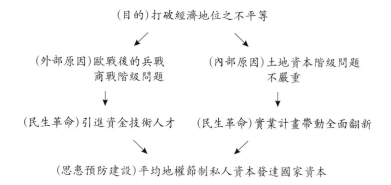

(目的)打破經濟地位之不平等

(外部原因)歐戰後的兵戰　　　(內部原因)土地資本階級問題
　　　商戰階級問題　　　　　　　　　　不嚴重

(民生革命)引進資金技術人才　(民生革命)實業計畫帶動全面翻新

(思患預防建設)平均地權節制私人資本發達國家資本

陸、結論

　　整個三民主義的演講或寫作「策略」，前後一貫，大抵上如同〈中國革命史〉所述：「規撫歐洲之學說事蹟」係指大量介紹一般國人不熟悉的歐美歷史演進過程所呈現的民族、政治與經濟趨勢和所遭遇到的問題；而「固有思想」係指與已感同身受的國內情勢，兩者都是一種內、外部的環境局勢分析，交叉其中的是對優勢、劣勢、機會和威脅的各種認識和比較，最後再帶出「自己獨見而創獲」者，也就是解方。

　　分析其整個三民主義的策略解方可以發現：在「破壞性的建設」策略方面，民族、民權主義的比重遠比民生主義多；民生主義幾乎都是「思患性的預防」策略。對於中國處於半（次）殖民地，一定要先取得國族獨立和政治主權，才能解決

193

三民主義的問題，且歐美資本主義的弊端，尚未發生，在中國
要先富（且均），僅先思患預防即可。

附 論

當「地方自治」遇見「參與式預算」

一、地方自治概要

地方自治可以說是民權主義建設的起始點，孫中山稱之爲「民國於苞桑」（〈中國革命史〉），在〈地方自治開始實行法〉中，主要內容整理如下：

1. 性質：地方自治團體，不止爲一政治組織，亦並爲一經濟組織。
2. 範圍：當以一縣爲充分之區域。如不得一縣，則聯合數鄉村，而附有縱橫二三十里之田野者，亦可爲一試辦區域。
3. 條件：其地能否試辦，則全視該地人民之思想智識以爲斷。若自治之鼓吹已成熟，自治之思想已普遍，則就下列之六事試辦之，俟收成效，然後陸續推及其他。
4. 六項重點工作：清戶口、立機關、定地價、修道路、墾荒地、設學校。
5. 其他事項：農業合作、工業合作、交易合作、銀行合作、保險合作等事。

孫中山思想中的時變與不變

二、參與式預算

所謂「參與式預算」（participatory budgeting, PB）是一種透過公民審議及溝通協調方式，以進行公共資源分配的決策過程（Wampler, 2007）。它允許公民在政府預算決策過程中扮演直接的角色，有機會參與並決定公共資源應如何配置（蘇彩足，2015：7）。參見表 8-3。

Sintomer, Herzberg 及 Röcke（2008, 2013）三位學者提出下列的判準條件，包括：

1. 必須討論有關公共事務的財務或預算面向；
2. 執行單位為自治層級，亦即經由民主方式產生首長的地區；
3. 必須是一項具有重覆性的過程，而非僅是一次性的會議或論壇；
4. 過程必須具備某種公共審議的形式；
5. 要求對於決議的結果進行某種程度的課責。

表 8-5 為台灣六個不同地區推動的參與式預算。

表 8-5　為台灣六個不同地區推動的參與式預算

地點	台北市	全台六個社區	新北市新店區達觀里	新北市永和區及蘆洲區	新北市三峽區	台中市中區	高雄市鼓山區哈瑪星
性質	行政體系改革	標案	芝加哥模式	標案	標案	標案	標案
推動者	民政局、公所經建科	文化部	市議員	經發局	勞工局	都發局	研考會
承攬者	無	台灣大學社會學系、台北大學社會學系	無	永和社大蘆荻社大	台北大學社會學系	學者團隊	中山大學社會學系、高雄第一社大
經費來源	各局處預算	文化部預算	議員工程建議款	經發局預算	勞工局預算	都發局預算	研考會預算
供市民提案、審議的預算規模	各行政區約3000萬	每個社區30萬（每案10萬）	60萬（每案20萬）	每一區各70萬	400萬（每案上限200萬）	600萬（每案100萬）	未定
供市民提案、審議的預算類型	不設限	文化部業務範疇	不設限	節電方案	身障就業促進方案	與中區活化有關之方案	可納入「生態交通全球盛典」計畫的方案
動員機制	民政系統搭配社區學、市民團體	里長、社區發展協會、社區組織	里長	社大學員網路	里鄰系統	地方說明會客廳座談會	社區說明會、社大學員網路、社區組織
培訓模式	制度化（各區府內外培訓）	任務型	無	任務型	任務型	任務型	任務型，但納入各局處及市民團體
審議模式	工作坊及審議日	社區公民大會	提案說明會	工作坊及審議日	就業論壇	住民會議	工作坊及審議日
執行時間	進行中	12個月	4個月	4個月	6個月	4個月	11個月

資料來源：萬毓澤：台灣推動「參與式預算」的反省與前瞻。
下載位址：https://theinitium.com/article/20160310-opinion-participatorybudgeting/

「政治是眾人之事」，地方之事由地方上之人以直接民權方式行使，這是孫中山地方自治的核心精神，關於此點，地方自治與參與式預算精神上相符。在實施的範圍上，地方自治的範圍較大，參與式預算範圍較小，也不限於縣（村），實務上可看到，社區發展協會、社區大學等均可，參與組織對象更為多元化。

地方自治首要是六大工作，參與式預算目前看起來執行項目可能與鄰里、社區營造、地方創生更有關係；另外，孫中山的地方自治，有待公民社會、經濟生活、教育水準、文化生活達一定程度時，才適合進行今日的參與式預算。不過，參與式預算不失為成為地方自治的進階或細部化工程，當可進一步探討兩者之間的關係。

第九章

歷久彌新的經世致用
（結論）

> 現在革命尚未成功，凡我同志……繼續努力
>
> 孫中山

壹、前言

孫中山思想究竟何去何從？這是難以回答的問題。他的思想被策略性的部分選擇運用在臺灣和大陸的發展過程，他的歷史地位也被兩岸當局策略性的重新闡揚或試圖遺忘，肯定的是，如同所有的政治人物一樣，政治影響力隨著時間的向前推移，終將淡出政治的舞台，但孫中山思想卻可能以學術化的樣貌，繼續存在於歷史、政治哲學或社會哲學的領域當中。

這並非獨創的發明與發現，當傳統馬克思主義無力解釋當代資本主義發展時，新馬、後馬……等應運而生，典範的轉移適時地解決了詮釋的貧困。同樣地，孫中山所處的時空與今日有異，其思想所欲解決的問題也與今時不同，兩岸的研究者對於「孫學化」的工程，也取得不錯的成效，本書的研究只是再次確認了這種典範轉移的可能性與可行性。

面對「孫學」的典範轉移，前書《並時弛張：孫中山思想與當代西方思潮》，在方法論上採取「並時弛張」策略，意即把歷時性壓縮在共時性當中，將孫中山學說與當代思潮暫時抽離時間，共置於同一場域，從相互辯證、理解、補充的過程中求得相對較佳的新知識意義。

孫中山思想中的時變與不變

　　本書《經世致用：孫中山思想中的時變與不變》，除部分採取前書的研究方法外，亦觀照孫中山思想中「重要觀念的發展系譜」，在前後可能自相矛盾的思想形成與轉變中，探求其「時變」與「不變」。

　　孫學化工程的意義在於：提煉人類永恆價值、與當代西方思潮對話、縫合時空場域的斷裂、再詮釋現代三大問題；如此，「孫學」當可歷久彌新而能再次經世致用。

貳、變與不變

一、孫學研究典範轉移中的變與不變

　　第二章指出：「理論（或理念型）」是靜態／抽象的，用以解釋動態／具象的「社會實體」，當兩者之間的動態連結發生斷裂（由強連結→弱連結→斷裂）時，自然會使理論（或理念型）解釋社會實體的能力下降。

　　以孫中山自身思想為主體的「典範階段」已呈現理論內部的穩定與理論整體的飽和現象，但在時空的變遷下，孫中山思想已無法呼應「危機階段」中對於的合法性要求，因此需要產生新典範或替代典範。

　　其具體作法可以是：萃取孫中山思想面對人類三大問題時，以何種人類永恆「不變」的價值，作為判准問題的解方

（例如打不平等求平等、人類三系服務的人生觀、濟弱扶傾
⋯⋯等等），重新向當代思潮相互對話理解／增能／賦權，以
詮釋「變化」後的當前民族、民權、民生問題。

二、現代知識分子感召中的變與不變

格里德（Grieder）眼中的知識分子只需負責產製觀點，默
默影響社會大衆；索爾（Sowell）認爲知識分子只負責產製和
宣揚觀點，而不用負責落實；韋伯（Weber）的知識分子是將
衆人之事作爲畢生投身之志業。

以孫中山「發明家、宣傳家、實行家」的觀點，結合產製
觀點與投身行動，發展出知識分子的光譜類型（理念型），分
別是：先知先覺／發明家能「產製觀點」的「創新」特質、後
知後覺／宣傳家能「號召行動」的「熱情」特質、不知不覺／
實行家的「犧牲」特質。

本章具體演示了透過孫中山的原型思想與西方思維對
話，進而產生新觀點的可行性。除了以知識分子的光譜理念
型中的元素：產製觀點（新舊之分、學術之爭），號召行動
（制服群倫、啓迪後世），永不妥協（貫徹始終、犧牲奉
獻）評價孫中山之外，知識分子最重要的「不變」責任便是
產製新觀點，走出向象牙塔，以思想或行動致用於人類，引
領社會進步。

三、國族主義與世界主義的變與不變

孫中山一直巧妙地運用民族主義，作爲對內和對外攻擊和防禦的策略工具，他一直將世界主義當作「槓桿的長短」，把民族主義當作「支點的遠近」，以便獲得最佳的總體資源動員能量。

他的民族主義是所有主義中最早形成，但也是前後變動最大的，因此傳統上，歷來的研究者將民族主義分成若干階段並區分對內及對外目標以爲解釋。本章指出孫中山民族主義的雙元性，具有世界性的觀點；亦從排滿覆清、國族獨立，內求統一、外求解放，濟弱扶傾、世界和平三階段，說明民族主義因應內外局勢，耦合民權主義和民生主義，不得不動態發展與調整之「時變」。

最重要的是孫中山指出了民族主義發展至世界主義的「當責性」，一種中國「不變」的天職，一種和諧的民族主義和王道的世界主義。

四、身體與生命政治部署的變與不變

本章以傅柯（Foucault）權力部署的概念脈絡，梳理孫中山對於「權」、「權力」的認識；以及傅柯對身體與生命政治的理論系譜發展，觀照孫中山身體與生命政治理論系譜的主要文本和重要概念內容。他的身體和生命政治涉及兩個核心：國

家機器的翻新，人民身體（心理）的改造。

〈中國革命史〉提到專制時代，人民之精神與身體，皆受桎梏，而不能解放。」也就是說身體與生命政治是孫中山革命的起始點，從帝制專權中解放人民的身心，他的身體政治側重在「改造」。

辛亥革命之後的民初政局，卻是「本國人打本國人，全國長年相爭相打」都是爲了想當皇帝；孫中山的「變」，辛亥之役、討袁之役、護法之役以來，念茲在茲的都是儘速「縮短國內戰爭」，認爲「民主專制必不可行」，自始以來「不變」都是爲了達到「立憲圖治」。

五、階級互助與問責倡議的變與不變

資本主義自我複製存在的基礎在於「累積」；只要人類存在，各種需求便會持續存在，布爾迪厄（Bourdieu）所謂的社會資本累積就無法停止，亦即各種社會階級或階層現象就會存在。孫中山對於階級的思想已經暗示了階級是不可能消失的，妄想日日去做工夫，也只是假平等而已，

本章指出了學界較少注意孫中山思想中「地位的一致性」所造成的不平等，也就是「聰明才力之人，專用彼之才能去奪取人家之利益，漸而積成專制之階級，生出政治上之不平等。」

孫中山體認到，真正要打破階級上的不平等，光靠政治、

經濟和社會的制度皆力有未逮，徒善不足以爲政，徒法不能以自行，他要形塑一種新的意識形態或集體意識，經由服務道德心的發揚與問責，以調和社會利益，促成社會進步。

六、實業計畫中社會設計的變與不變

孫中山說「民生主義就是社會主義，又名共產主義」，又說「民生主義就是共產主義，就是社會主義」。這種前後「變化」，白吉爾解釋無疑有助於暫時撫平統一戰線內的波濤，但這並不意味孫逸仙的經濟和社會觀念已歷經轉型。在〈社會主義之派別與方法〉中，孫中山用民生主義統攝了包括社會主義和共產主義……等等的一切經濟主義，這是他的「不變」。

孫中山思想中並未出現過「國家資本論（主義）」的具體說法，僅在民生主義第二講中提到：實業計畫，此書已言製造國家資本之大要。但「國家社會主義」的詞彙則常常出現；本章考掘梳理〈致鄭藻如陳富強之策書〉〈農工〉到〈民生主義〉一系列文本認爲「民生主義」是「國家社會主義」，也可以稱作是「國家資本主義」。此外，「平均地權」前後主張之「變」，先是採取土地所有權收歸國有的激進主張，進入民國後，則認爲土地托辣斯尚未嚴重，改採土地的增值收歸國有的溫和辦法，以安民心。

「社會設計」的目的是改善多數人的生活品質，是一種觀看社會的方式，關於人們如何想像、進而改造、最後落實一個

更好的社會。於此而言，《實業計畫》不僅是一種社會設計，
更是全國性的國土綜合開發計畫。在孫中山的心中，想將空
間、交通運輸、資金人才，以及技術和組織形式、社會關係、
制度和行政安排、生產和勞動過程、人與自然的關係、日常生
活和人類再生產……等等進行最好的安排。

七、三民主義建設方略中的變與不變

　　《三民主義》文本特殊之處在於全書俱足危機倡議、問題
提出、介紹思潮、情勢分析、解方提供。

　　從第二章可知「定義→概念→陳述→格式→命題的架構」
是社會學理論化的方式之一，本章將三民主義文本先以 SWOT
的方略分析歸結出民族、民權與民生主義的優勢（S）、劣勢
（W）、機會（O）和威脅（T）的論述，再運用後設研究的
二級抽象（second-order abstractions）方式予以命題化。高度
命題化的缺點在於忽略掉超載的訊息和因素，以及無法呈現時
間的階段性；優點在於可將孫中山思想理論化，並可清楚地看
出命題論述之間的邏輯因果關係。

參、研究展望

一、孫中山思想與 PB

參與式預算（participatory budgeting, PB），是一種讓民眾透過公民審議及溝通協調方式，將政府公共資源進行有效合理分配的決策程序，它允許公民在政府預算決策過程中直接參與並決定公共資源應如何配置。

以 PB 在台灣各縣市試辦的情況來看，參與成員的代表性仍遭質疑，有時仍是某種「代議」制度的再現，所核撥的預算也是先需經議會同意，成員的提案或所決定的事項是否屬公部門法定職掌或人民可逕行提案，是否成為另一種承包制……都是參與式預算待釐清的問題。

「政治是衆人之事」，地方之事由地方上之人以直接民權方式行使，這是孫中山地方自治的核心精神。地方自治與參與式預算精神上相符，但當時的地方自治首要是六大工作，參與式預算目前看起來執行項目可能與鄰里、社區營造、地方創生項目較有關係；另外，孫中山的地方自治，有待公民社會、經濟生活、教育水準、文化生活到達一定程度時，才適合進行今日的參與式預算。不過，參與式預算不失為成為地方自治的進階或細部化工程。

二、孫中山思想與 UBI

全民基本收入制（Universal Basic Income, UBI），是指：沒有條件及資格限制（也不做資格審查），由政府或團體組織，定期發放給每個成員（該國的國民、某地區的居民，或某團體組織的成員）定額金錢（不包括服務），以滿足人民的基本生活條件（包括食物、水、電、居住、教育、醫療等基本花費），藉由經濟的保障，以落實基本人權。

基本上當時中國大多數人民是大貧與小貧的問題，貧富差距問題相對較不嚴重，所以在民生主義的建設上僅是針對土地和資本問題採取思患預防的策略；實際上，在孫中山接任臨時大總統期間，國庫處於捉襟見肘的狀態，因此民初的政局是無法實施全民基本收入制的。

但是三民主義的一貫精神是打不平等以求平等，而 UBI 的核心精神是：社會正義、自由、經濟安全感；況且孫中山也說過：衣、食、住、行「不但是要把這四種需要弄到很便宜，並且要全國的人民都能夠享受。……一定要國家來擔負這種責任。」兩者在「公民正義、國家責任、全民享受」等等的理念上類似，未來似可將兩者的性質釐清並深入研究。

三、孫中山思想與 SDGs

孫中山在〈民報發刊詞〉談到：「余維歐美之進化，凡以

209

孫中山思想中的時變與不變

三大主義：曰民族、曰民權、曰民生。」「三大主義皆基本於民」，三民主義範圍博大可統攝人類一切問題，三大問題永遠需要在遞嬗變易之際胥冶化焉。而永續發展（sustainable development）的概念，大約起源於 1970 年代的綠色環保運動，一般認爲由環境、社會、經濟三方面內容構成。

聯合國永續發展目標（Sustainable Development Goals, SDGs），包含 17 項目標（Goals）及 169 項細項目標（Targets），內容大致可歸類爲經濟成長、社會進步、環境保護三項。

孫中山僅在民生主義中約略提到水旱災及糧食生產問題，他所處的時代自然是「看不見」後來的「永續發展」，原因是當時歐美的民生問題正走在資本主義貧富不均的狀態，尚未進入 1970 年代地球資源過度開發、氣候變遷異常的狀態，因此孫中山無法參照，當然也不可能進入他的思維中。

儘管如此，孫中山建國思想主要針對當時次殖民地中國而發，且民生主義（含實業計畫）建設中涉及自然環境，與現今SDGs 內諸多內容針對低度發展國家而發的起始點相同，似可相較兩者並以 SDGs 來補充詮釋。

四、民國的身體與生命

「身體政治」目前尚無共識上的定義，不妨可視爲「國家的統治權力如何施加在個人的身體上」，如果將傅柯的概念的

概念延伸出來，則「施加」可解釋為治（管）理、規訓、懲罰、訓練、改造……等。

民國初成，雖實施了形式上的禁蓄髮、禁纏足、禁人口販運的身體解放，但有民國之名卻無民國之實，孫中山欲計畫進行各種「訓政的身體」改造，例如查戶口（身體的監控）、立學校（身體的教育）。

孫中山對身體的論述與想像為何？國族的身體，從農業的身體到工業的身體；從東方的身體到西方的身體，解放殖民地位的國族身體。進而從身體政治到生命政治：人口、安全、幸福。人口的維持，如何消極地避免戰爭到積極的國防安全；安全的社會，各種社會福利、公共病院、育幼養老院的建立；需要的幸福，食衣住行從匱乏到滿足、從需要到舒適。

從傅柯的典範將孫中山思想與之類比，民國的身體與生命政治，則是將孫中山思想直接淬鍊出個人的身體和國族的身體。

肆、結論

孫中山矢志於促進中國之國際地位平等、政治地位平等、經濟地位平等，使中國永久適存於世界。「永久適存」即意味著隨時因應國內外環境局勢，保持「變」與「不變」的靈活，彈性調整戰術策略。

他所使用的方式是規撫歐美學說、兼顧固有思想，加上創新發明，將中國及世界的民族、民權及民生問題合一爐而治之。全球資本主義不斷地自我複製再生的結果，也產生不同於以往的新興問題，是所有知識分子所需共同面對的課題。

這些新興問題的解答方式，可能早已存在人類古老的智慧和既有的思想當中，靜待人類去發掘梳理，以創新角度和新的詮釋方法，重新致用於世界。

如果孫中山對於人類世界的終極目標是「永久適存世界，共進大同社會」，則全人類福祉的革命尚未成功，凡我同志（全世界有志之士、先知先覺家）當繼續努力。

附 表

聯合國永續發展目標（SDGs）

1.消除各地一切形式的貧窮。

2.消除飢餓，達成糧食安全，改善營養及促進永續農業。

3.確保健康及促進各年齡層的福祉。

4.確保有教無類、公平以及高品質的教育，及提倡終身學習。

5.實現性別平等，並賦予婦女權力。

6.確保所有人都能享有水及衛生及其永續管理。

7.確保所有的人都可取得負擔得起、可靠的、永續的，及現代的能源。

8.促進包容且永續的經濟成長，達到全面且有生產力的就業，讓每一個人都有一份好工作。

9.建立具有韌性的基礎建設，促進包容且永續的工業，並加速創新。

10.減少國內及國家間不平等。

11.促使城市與人類居住具包容、安全、韌性及永續性。

12.確保永續消費及生產模式。

13.採取緊急措施以因應氣候變遷及其影響。

14.保育及永續利用海洋與海洋資源，以確保永續發展。

15.保護、維護及促進領地生態系統的永續使用，永續的管理森

林，對抗沙漠化，終止及逆轉土地劣化，並遏止生物多樣性
的喪失。

16.促進和平且包容的社會，以落實永續發展；提供司法管道
給所有人；在所有階層建立有效的、負責的且包容的制度。

17.強化永續發展執行方法及活化永續發展全球夥伴關係。

參考文獻

一、中文書目

Althusser, L.（1990）。《列寧和哲學》（*Lenin and Philosophie*）（杜章智譯）。台北：遠流。（原著出版年：1970）

Althusser L.（2016）。《保衛馬克》（*Pour Marx*）（顧良譯）。北京：商務印書館。（原著出版年：1996）（根據法國 La Découverte 出版社 1996 版本譯出）

Benda, J.（2010）。《知識分子的背叛》（*Der Verrat der Intellektuellen*）（孫傳釗譯）。長春：吉林人民出版社。（原著出版年：1927）

Brossat, A.（2008）。《傅柯的「布置」觀念》（*La notion de 《dispositif》 chez Michel Foucault*）（洪菁勵譯）。文化研究，6，230–240。

Brossat, A.（2012）。《傅柯／危險哲學家》（*Michel Foucault: Un Philosophe Dangereux*）（羅惠珍譯）。台北：麥田。（原著出版年：2012）

Chang, Sidney H.（張緒心）& Gordon, Leonard H. D.（高理寧）（1999）。《孫中山未完成的革命》（*All under Heaven...: Sun Yat–sen and His Revolutionary Thought*）（卜大中譯）。台北：時報。（原著出版年：1991）

215

David Harvey（2010）。《資本的空間：批判地理學芻論》（*Space of Capital: Towards a Critical Geography*）（王志弘、王玥民譯）。台北：群學。

David Harvey（2018）。《挑戰資本主義：大衛‧哈維精選文集》（*The Way of The World*）（許瑞宋譯）。台北：時報文化。（原著出版年：2016）

Dodd, N.（2003）。《社會理論與現代性》（*Social Theory and Modernity*）（張君玫譯）。台北：巨流。（原著出版年：1999）

Durkheim, Émile（2013）。《社會分工論》（*De La Division Du Travail Social*）（渠東譯）。北京：三聯書店。（原著出版年：1893）

Edith, Kurzweil（1998）。《結構主義時代：從萊維–斯特勞斯到福科》（*The Age of Structuralism: From Levi–Strauss to Foucault*）（尹大貽譯）。上海：上海譯文出版社（原著出版年：1980）

Eric, Hobsbawm（2014）。《如何改變世界：馬克思與馬克思主義，回顧、反思，與前瞻》（*How to Change the Word: Marx and Marxism, 1840–2011*）（林宏濤、黃煜文譯）。台北：麥田。（原著出版年：2011）

Fendler, L.（2017）。《米歇爾‧福柯》（*Michel Foucault*）（邵文實譯）。哈爾濱：黑龍江教育出版社。（原著出版年：2009）

Foucault, M.（2016）。《性經驗史（第一卷）認知的意志》（*Histoire de la Sexualité Vol,1 La Volonté de Savoir*）（佘碧平譯）。上海：人民出版社。（原著出版年：1976）

Foucault, M.（2010）。《必須保衛社會》（*Society Must Be Defended*）（錢翰譯）。上海：人民出版社。（原著出版年：1997）

Foucault, M.（2010）。《安全、領土與人口》（*Security, Territory, Population*）（錢翰、陳曉徑）。上海：人民出版社。（原著出版年：2004）

Foucault, M.（2011）。《生命政治的誕生》（*The Birth of Biopolitics*）（莫偉民、趙偉譯）。上海：人民出版社。（原著出版年：2004）

Gramsci, A.（2014）。《獄中札記》（*Selections from the Prison Notebooks*）（曹雷雨、姜麗、張跣譯）。河南：河南大學出版社。（原著出版年：1971／根據倫敦 Lawrence and Wishart 出版品翻譯成中文）

Grieder, J. B.（2010）。《知識分子與現代中國》（*Intellectuals and the State in Modern China*）（單正平譯）。廣西：廣西師範大學出版社。（原著出版年：1981）

Guy Standing（2019）。《寫給每個人的基本收入讀本：從基本收入出發，反思個人工作與生活的意義，以及如何讓社會邁向擁有實質正義、自由與安全感的未來》（*Basic Incom: And How We Can Make It Happen*）（陳儀譯）。台

217

北市：臉譜。（原著出版年：2017）

Jacoby, R.（2009）。《最後的知識份子》(*The Last Intellectuals: American Culture in the Age of Academe*)（傅達德譯）。新北市：左岸。（原著出版年：1987）

Jacques Derrida（2016）。《馬克思的幽靈：債務國家、哀悼活動和新國際》（*Specters de Marx*）（何一譯）。北京：中國人民大學出版社。（原著出版年：1993）

Jonathan H. Turner（1992）。《社會學理論的結構》（*The Structure of Sociological Theory*）（吳曲輝等譯）。台北：桂冠。（原著出版年：1986）

Karl Marx（2016）。《1884年經濟學哲學手稿》(*Ökonomisch-philosophische Manuskripte aus dem Jahre 1844*)（李中文譯）。新北：暖暖書屋。（原著出版年，寫於1844年4月到8月間，首次出版於1932年，本書譯自 K. Marx u. F. Engels, Werke Ergänzungsband, 1. Teil, S.465–588, 1968）

Karl Marx & Friedrich Engels（2016）。《共產黨宣言》（*The Communist Manifesto*）（麥田編輯室、黃煜文譯）。台北：麥田。

Kropotkin, Peter（1973）。《互助論》（*Mutual Aid*）（帕米爾書店譯）。台北：帕米爾書店。（原著出版年：1914）

Linebarger, P. M.（2014）。《孫逸仙傳記：美國人眼中的孫中山》（*Sun Yat-sen and the Chinese Republic*）（徐植

仁譯）。香港，中和出版有限公司。［該書 1926 年最早
由上海三民公司出版，經由孫中山的法律顧問林百克整理
孫的口述筆錄，徐植仁選譯而成］

Marie-Claire Bergere（2010）。《孫逸仙》（*Sun Yat-sen*）
（溫洽溢譯）。台北：時報文化。（原著出版年：1994）

Philippe Van Parijs & Yannick Vanderborght（2017）。《基本
收入：建設自由社會和健全經濟的激進方案》（*Basic
Incom: A Radical Proposal for a Free Society and a Sane
Economy*）（許瑞宋譯）。新北市：衛城。（原著出版
年：2017）

Perry Anderson（1990）。《西方馬克思主義探討》（*Considerations
on Western Marxism*）（高銛、文貫中、魏章玲譯）。台
北：桂冠。（原著出版年：1976）

Said, E. W.（2004）。《知識分子論》（*Representations of the
Intellectuals: The 1993 Reith Lectures*）（單德興譯）。台
北：麥田。（原著出版年：1994）

Sayer, Andrew（2008）。《階級的道德意義》（*The Moral
Significance of Class*）（陳妙芬、萬毓澤譯）。台北：巨
流。（原著出版年：2005）

Schiffrin, H. Z.（1988）。《孫中山與中國革命的起源》（*Sun
Yat-sen and the Origins of the Chinese Revolution*）（邱
權政、符致興譯）。台北：谷風。（原著出版年：1968）

Schiffrin, H. Z.（2010）。《孫中山與中國革命（下冊）》

（*Sun Yat-sen and the Origins of the Chinese Revolution*）
（邱權政、符致興譯）。太原，山西人民出版社。（原著
出版年：1980）

Schiffrin, H. Z.（2010）。〈孫中山的政治作風：堅持目的與
靈活運用〉。收錄於《孫中山與中國革命（下冊）》
（*Sun Yat-sen and the Origins of the Chinese Revolution*）
（邱權政、符致興譯）。太原，山西人民出版社。（原著
出版年：1980）

Simon Tormey & Jules Townshend（2011）。《從批判理論到
後馬克思主義》（*Key Thinkers: From Critical Theory to
Post-Marxism*）（陳以新、謝明珊、楊濟鶴譯）。新北
市：韋伯。（原著出版年：2006）

Smart, B.（1998）。《傅柯》（*Michel Foucault*）（蔡采秀
譯）。台北：巨流。（原著出版年：1985）

Smith, Admin（2017）。《道德情感論》（*The Theory of Moral
Sentiment*）（謝宗林譯）。台北：五南。（原著出版年：
1790）

Sowell, Thomas（2014）。《知識分子與社會》（*Intellectuals
and Society*）（柯宗佑譯）。台北：遠流。（原著出版
年：2009）

Thomas Kuhn（1994）。《科學革命的結構》（*The Structure
of Scientific Revolutions*）（程樹德、傅大爲、王道還、錢
永祥譯）。台北：遠流。（原著出版年：1970）

Turner, J. H.（2001）。《社會學理論的結構（下）》（*The Structure of Sociological Theory*）（邱澤奇譯）。北京：華夏。（原著出版年：1982）

V. Papanek（2013）。《為眞實世界設計—人類生態與社會變遷》（*Design for the Real World: Human Ecology and Social Change*）（楊路譯）。台北：五南。（原著出版年：1985）。

Wilbur, C. M.（2006）。《孫中山：壯志未酬的愛國者》（*Sun Yat-sen: Frustrated Patriot*）（楊愼之譯）。北京：新星出版社。（原著出版年：1976）

中山大學中山所主編（1982）。《民權主義的理論與實踐》。台北：國立編譯館。

毛漢光（2015）。〈平等權與孫中山思想〉。《止善》，第19期。朝陽科技大學通識學院。

王振寰、瞿海源主編（1999）。《社會學與台灣社會》。台北：巨流。

江玉林（2012）。〈《性事的歷史・卷一：求知的意志》—傅柯的權力分析與對現代法學的權力批判〉。《臺灣法學》，207，114–129。

朱從兵（2003）。〈孫中山對近代世界鐵路的認知述論〉。《學術論壇》2003年第5期。

朱諶（1992）。〈孫中山先生的民族主義思想〉。《三民主義學報》第15期。台灣師範大學三民主義研究所。

汪民安（2016）。〈從國家理性到生命政治：福柯論治理術〉。在汪民安主編，《福柯在中國》（頁 33–53）。鄭州：河南大學出版社。

汪民安、陳永國主編（2003）。《后身體：文化、權力與生命政治學》。長春：吉林人民出版社。

李孔智（2018）。〈志在沖天：孫中山勇往直前的「航空救國」精神〉。《國父紀念館館刊》第 51 期。國父紀念館。

李思逸（2020）。《鐵路現代性：晚清至民國的時空體驗與文化想像》。台北：時報。

沈渭濱（2016）。《孫中山與辛亥革命》。上海：上海人民出版社。

李劍農（1969）。《中國近百年政治史》。台北：台灣商務。

武上眞理子（2016）。《孫中山與『科學的時代』》（袁廣泉譯）。北京：社會科學文獻出版社。

吳玉山（2012）。〈孫中山思想、民國百年與兩岸發展模式：一個總體性的分析架構〉。《政治科學論叢》。第 52 期，頁 1–42。

吳清山（2015）。〈全球移動力〉。《教育研究月刊》，第 259 期。

邵宗海、白中琤（2006）。〈同盟會成立時知識份子對孫中山態度的轉折〉。《近代中國》（上海：上海社會科學院，2006 年 10 月），第 16 期，頁 64–78。

邵宗海（2017）。《孫中山民生主義實踐之研究：以具有中國特色的社會主義初階段論爲例》。台北：國父紀念館編印。

邱天助（2002）。《布爾迪厄文化再製論理》。台北：桂冠。

周新富（2005）。《布爾迪厄論學校教育與文化再製》。台北：心理。

林志宏（2015）。〈一場決戰境外的「勝利」：《民報》與《新民叢報》論戰之意義〉。收錄於《革命的抉擇和挑戰：《民報》、《新民叢報》論戰選編》。台北：文景書局。

林家有、張磊（2014）。《孫中山評傳（上）》。廣州：廣州人民出版社。

林賢治（2001）。〈孫中山與馬克思平等理論之比較研究〉。《逢甲人文社會學報》第 2 期。逢甲大學人文社會學院。

尚明軒（2014）。《孫中山傳（上）（下）》。台北：思行文化傳播。

尚明軒、唐寶林（2014）。《宋美齡傳（上）》。台北：思行文化傳播。

吳建忠（2018）。〈孫中山與中國空軍建設〉。《國父紀念館館刊》，第 51 期。國父紀念館。

姜新立（1999）。《分析馬克思：馬克思主義理論典範的反思》。台北：五南。

姜新立（2010）。《解讀馬克思》。台北：五南。

段雲章（2009）。《中山先生的世界觀》。台北：中山學術文
　　化基金會。

桑　兵（2015）。《孫中山的活動與思想》。北京：北京師範
　　大學出版社。

高宣揚（2002）。《布爾迪厄》。台北：生智。

孫中興（2008）。《令我討厭的涂爾幹的社會分工論》。台
　　北：群學。

莊　政（1991）。〈國父民族主義的形成與發展探源〉。《復
　　興崗學報》，第 45 期，頁 1–19。

崔書琴（1992）。《三民主義新論》。台北：台灣商務。

陳宜中（2016）。《何為正義》。北京：中央編譯出版社。

陳培永（2017）。《福柯的生命政治學圖繪》。北京：中國社
　　學科學出版社。

陳麗華（1985）。〈國父的互助思想與克魯泡特金的互助論比
　　較研究〉。《三民主義學報》，第 19 期。台灣師範大學
　　三民主義研究所。

黃宇和（2004）。《孫逸仙倫敦蒙難真相》。上海：上海書店
　　出版社。

黃宇和（2016）。《孫中山：從鴉片戰爭到辛亥革命》。台
　　北：聯經。

黃克武、潘光哲主編（2015）。《革命的抉擇與挑戰：《民
　　報》、《新民叢報》論戰選編》。台北：文景書局。

閔宇經（1999）。〈民族主義與孫中山先生的革命思想事業－

是起始點抑或終極關懷〉。《藝術學報》，第 65 期
（1999/12/01），頁 217-228。

閔宇經（2001）。《社會演化典範之功能論研究：兼論湯恩
比、孫中山、馬克思的整合模式》。台北：台灣師範大學
三民主義研究所博士論文，未出版。

閔宇經（2016）。〈族國建立：初探孫中山的「民族國家
論」〉。收錄於《孫中山民族思想的省思：新世紀・新觀
點》。台北：國父紀念館。

閔宇經（2016）。《並時弛張：孫中山思想與當代西方思
潮》。高雄：麗文文化。

閔宇經（2016）。〈族國建立：初探孫中山的「民族國家」
觀〉。載於《孫中山思想的省思：新世紀・新觀點》（頁
101-120）。國立國父紀念館。

張玉法（1982）。《清季的革命團體》。台北：中央研究院近
代史研究所。

張朋園（2015）。《從民權到威權：孫中山的訓政思想與轉折
兼論黨人繼志述事》。台北：中央研究院近代史研究所。

張　旭（2016）。〈從權力譜系學到倫理譜系學：福柯晚期思
想中的主體－權－真理問題〉。在汪民安主編，《福柯在
中國》（頁 154）。鄭州：河南大學出版社。

項定榮（1982）。《國父七訪美檀考述》。台北：時報。

葛紅兵（2013）。《身體政治：解讀二十世紀中國文學》。台
北：新銳文創（秀威資訊）。

蔡中民（2015）。〈國家資本主義的歷史發展與理論脈絡〉。
《台灣政治學刊》，第19卷2期。

橫山宏章（2016）。《素顏的孫文：遊走東亞的獨裁者與職業
革命家》（素顏の孫文：國父になつた大ぼろ吹き）（李
雨青譯）。新北：八旗文化出版。（原著出版年：2014）

劉仲敬（2016）。《近代史的墮落》。新北：八旗文化。

劉放桐主編（2016）。《現代哲學的變更與後現代主義和西方
馬克思主義》。上海：華東師範大學。

羅志平（2005）。《民族主義：理論、類型與學者》。台北：
旺文社。

蘇彩足（2015）。《政府實施參與式預算之可行性評估》。國
家發展委員會（政府委託研究報告）。

龐建國（2012）。《孫中山的時代意義：國家發展研究的視
角》。新北：韋伯。

龐建國（2017）。〈一帶一路與實業計畫3.0〉。發表於
106.07.28「民生主義在兩岸的實踐與比較」研討會。台
北：劍潭青年活動中心。

二、孫中山原典

〈上李鴻章書〉，國立國父紀念館中山學術資料庫國父全集全
文檢索系統（國父全集，第四冊，頁3–11）。

〈大亞洲主義〉，國立國父紀念館中山學術資料庫國父全集全
文檢索系統（國父全集，第三冊，頁535–542）。

〈中華民國鐵道協會歡迎會〉，黃彥編：《孫文選集》（中
　　冊），廣州：廣東人民出版社，2006.11。
　　下載網址：http://www.sunyat-sen.org/index.php?m=content&c
　　=index&a=show&catid=46&id=6853
〈中國國民黨第一次全國代表大會宣言〉，國立國父紀念館中
　　山學術資料庫國父全集全文檢索系統（國父全集，第二
　　冊，頁 131-140）。
〈中國革命史〉，國立國父紀念館中山學術資料庫國父全集全
　　文檢索系統（國父全集，第二冊，頁 354-364）。
〈中國存亡問題〉，國立國父紀念館中山學術資料庫國父全集
　　全文檢索系統（國父全集，第二冊，頁 284-329）。
〈中國問題的真解決〉，國立國父紀念館中山學術資料庫國父
　　全集全文檢索系統（國父全集，第二冊，頁 245-251）。
〈中國之鐵路計劃與民生主義〉，國立國父紀念館中山學術資
　　料庫國父全集全文檢索系統（國父全集，第二冊，頁
　　275-280）。
《民生主義・第二講》，國立國父紀念館中山學術資料庫國父
　　全集全文檢索系統（國父全集，第一冊，頁 145-157）。
《民族主義・第三講》，國立國父紀念館中山學術資料庫國父
　　全集全文檢索系統（國父全集，第一冊，頁 22-29）。
《民族主義・第四講》，國立國父紀念館中山學術資料庫國父
　　全集全文檢索系統（國父全集，第一冊，頁 29-37）。
《民權主義・第一講》，國立國父紀念館中山學術資料庫國父

孫中山思想中的時變與不變

全集全文檢索系統（國父全集，第一冊，頁 55-67）。

《民權主義・第三講》，國立國父紀念館中山學術資料庫國父
全集全文檢索系統（國父全集，第一冊，頁 76-88）。

〈同胞要同心協力做建設事業〉，國立國父紀念館中山學術資
料庫國父全集全文檢索系統（國父全集，第三冊，頁
268-269）。

〈自傳〉，國立國父紀念館中山學術資料庫國父全集全文檢索
系統（國父全集，第二冊，頁 192-193）。（民前十六年
九月（一八九六年十月）應英國圜橋大學教授翟爾斯氏之
請所作）

〈地權不均則不能達到多數幸福之目的〉，國立國父紀念館中
山學術資料庫國父全集全文檢索系統（國父全集，第二
冊，頁 240）。

〈我的回憶〉，國立國父紀念館中山學術資料庫國父全集全文
檢索系統（國父全集，第二冊，頁 264-273）。

〈言語文字的奮鬥〉，國立國父紀念館中山學術資料庫國父全
集全文檢索系統（國父全集，第三冊，頁 479-482）。

〈社會主義之派別及方法〉，國立國父紀念館中山學術資料庫
國父全集全文檢索系統（國父全集，第三冊，頁97-122）。

〈求學在立志救國〉，國立國父紀念館中山學術資料庫國父全
集全文檢索系統（國父全集，第三冊，頁 257-262）。

〈軍人精神教育〉，國立國父紀念館中山學術資料庫國父全集
全文檢索系統（國父全集，第三冊，頁 281-306）。

〈刱立農學會徵求同志書〉，國立國父紀念館中山學術資料庫
國父全集全文檢索系統(國父全集，第四冊，頁 11–13)。

〈革命思想之產生〉，國立國父紀念館中山學術資料庫國父全
集全文檢索系統（國父全集，第三冊，頁 323–325）。

〈孫文學說・第八章〉，國立國父紀念館中山學術資料庫國父
全集全文檢索系統（國父全集，第一冊，頁 409–422）。

《孫文學說・第四章》，國立國父紀念館中山學術資料庫國父
全集全文檢索系統（國父全集，第一冊，頁 373–382）。

〈致北方各將領賀南北統一成功電〉，國立國父紀念館中山學
術資料庫國父全集全文檢索系統（國父全集，第四冊，頁
219）。

〈致北京蒙古各王公勗團結一致並盼推舉代表來寧共議要政
電〉，國立國父紀念館中山學術資料庫國父全集全文檢索
系統（國父全集，第四冊，頁 195）。

〈致香港總督歷數滿清政府罪狀並擬訂平治章程請轉商各國贊
成書〉，國立國父紀念館中山學術資料庫國父全集全文檢
索系統（國父全集，第二冊，頁 5–7）。

〈致鄭藻如陳富強之策書〉，國立國父紀念館中山學術資料庫
國父全集全文檢索系統（國父全集，第四冊，頁 1–3）。
（鄭藻如，廣東香山縣濠頭鄉人，曾任清津海關道，並曾
任出使美國、日斯巴尼亞（即西班牙）、秘魯三國大臣，
光緒十二年（一八八六年）後病休居鄉，當時孫先生在香
港西醫書院就讀。）

〈致廖仲愷告所著國防計劃目錄函〉，國立國父紀念館中山學
　　術資料庫國父全集全文檢索系統（國父全集，第五冊，頁
　　309–311）。

〈修改章程之說明〉，國立國父紀念館中山學術資料庫國父全
　　集全文檢索系統（國父全集，第三冊，頁215–219）。

〈倫敦被難記〉，國立國父紀念館中山學術資料庫國父全集全
　　文檢索系統（國父全集，第二冊，頁193–223）。

〈復北京蒙古聯合會推舉袁世凱繼任臨時大總統〉，國立國父
　　紀念館中山學術資料庫國父全集全文檢索系統（國父全
　　集，第四冊，頁213）。

〈復魯塞爾論中國社會經濟問題的性質函〉，國立國父紀念館
　　中山學術資料庫國父全集全文檢索系統（國父全集，第四
　　冊，頁43–44）

〈預立遺囑〉，國立國父紀念館中山學術資料庫國父全集全文
　　檢索系統（國父全集，第二冊，頁647–648）

〈農功〉，國立國父紀念館中山學術資料庫國父全集全文檢索
　　系統（國父全集，第二冊，頁189–191）。

《〈新疆遊記〉序》，國立國父紀念館中山學術資料庫國父全
　　集全文檢索系統（國父全集，第九冊，頁599–600）。

〈廣西善後方針〉，國立國父紀念館中山學術資料庫國父全集
　　全文檢索系統（國父全集，第三冊，頁123–125）。

〈學生要立志做大事不可做大官〉，國立國父紀念館中山學術
　　資料庫國父全集全文檢索系統（國父全集，第三冊，頁

384–391）。

〈築路與借債〉，國立國父紀念館中山學術資料庫國父全集全
　　文檢索系統（國父全集，第三冊，頁 53–54）。

〈遺囑（貳）〉，國立國父紀念館中山學術資料庫國父全集全
　　文檢索系統（國父全集，第九冊，頁 638）。

〈關於民生主義之說明〉，國立國父紀念館中山學術資料庫國
　　父全集全文檢索系統（國父全集，第三冊，頁 416–418）。

《臨時大總統就職宣言》，國立國父紀念館中山學術資料庫國
　　父全集全文檢索系統（國父全集，第二冊，頁 23–24）。

〈鐵路雜誌題辭〉，國立國父紀念館中山學術資料庫國父全集
　　全文檢索系統（國父全集，第九冊，頁 566–567）。

三、網路資源

中時電子報（2016）。〈國父之名怎麼來〉。2016.2.25，
　　http://www.chinatimes.com/realtimenews/20160225005604–260
　　407，搜尋日期：2017.10.12。

毛　娟（2015）。〈"創造性的破壞"：理解大衛‧哈威空間理
　　論的關鍵字〉。載於《學習與探索》2015 年第 11 期。搜
　　尋日期：107.05.18
　　http://www.cssn.cn/zhx/zx_wgzx/201605/t20160518_3014825.s
　　html

余英時（1991）。〈中國知識份子的邊緣化〉。夏威夷「文化
　　反思討論會」會議講詞，載於《二十一世紀》1991 年 8

　　　月號總第六期，

　　　http://www.cuhk.edu.hk/ics/21c/media/online/9100057.pdf，搜
　　　尋日期：2017.10.12。

孫永福（2011）。〈孫中山與中國鐵路〉。載於《人民日報》
　　　2011.11.10，

　　　http://big5.qstheory.cn/gate/big5/www.qstheory.cn/wz/xues/2011
　　　11/t20111110_122735.htm，搜尋日期：2017.10.12。

孫中山學術研究資訊網，〈國父的由來〉，

　　　http://sun.yatsen.gov.tw/content.php?cid=S01_02_01，搜尋日
　　　期：2017.10.12。

國家教育研究院，圖書館學與資訊科學大辭典，

　　　http://terms.naer.edu.tw/detail/1683585/?index=1，搜尋日
　　　期：2020.10.30。

聯合報（2016）。〈孫中山建國方略 在中共領導下已實現〉。
　　　2016.11.11，https://udn.com/news/story/4/2099638，搜尋日
　　　期：2017.10.12。

萬毓澤（2016）。〈台灣推動「參與式預算」的反省與前瞻〉。
　　　載於《端傳媒》，

　　　https://theinitium.com/article/20160310－opinion－participatoryb
　　　udgeting/，搜尋日期：2021.03.22。

盧立菊（2013）。〈孫中山晚年的著書立說〉。載於《團結報》，
　　　http://epaper.tuanjiebao.com/html/2013－11/14/content_11104.
　　　htm，搜尋日期：2017.10.12。

四、外文書目

Bobbio, N. (1979). Gramsci and the Conception of Civil Society, in Chantal Mouffe (ed.), *Gramsci and Marxist Theory*. London: Routledge and Kegan Paul., pp. 21.

Derrida, J. (1994). *Specters of Marx, the State of the Debt*, the Work of Mourning, and the New International, trans. P. Kamuf; intro. B. Magnus and S. Cullenberg. Lobdon: Routledge.

Foucault, M. (1982). The Subject and Power, in H. L. Dreyfus and P. Rabirow, *Michel Foucault: Beyond Structuralism and Hermeneutics*. Harvester press, pp. 224.

Hroch, M. (1985). *Social Preconditions of National Revival in Europe*. Cambridge: Cambridge Press.

Martin, W. C. (1987). The Role of the Intellectual in Revolutionary Institutions, in Mohan, Raj P. (ed.), *The Mythmakers: Intellectuals and the Intelligentsia in Perspective*. Greenwood Press, Westport, Connecticut, pp.61–77.

Ritzer G. (1981). *Toward an Integrated Sociological Paradigm*. Boston, Allyn and Bacon. Inc.

Sintomer, Y., C. Herzberg and A. Röcke (2008). "Participatory Budgeting in Europe: Potentials and Challenges." *International Journal of Urban and Regional Research*, 32(1): 164–178.

Sintomer, Y., C. Herzberg and A. Röcke (2013). *Participatory*

Democracy and Public Service Modernisation. Farnham: Ashgate

Veyne, P. (1997). Foucault Revolutionizes History, in A. I. Davidson (ed.), *Foucault and His Interlocutors*. Chicago: University of Chicago Press, pp.181.

Wampler, B. (2007). "A Guide to Participatory Budgeting," in Anwar Shah (ed.), *Participatory Budgeting*. Washington, D. C: The World Bank.